OSTERGLAUBE OHNE AU

QUAESTIONES DISPUTATAE

Begründet von
KARL RAHNER UND HEINRICH SCHLIER

Herausgegeben von
PETER HÜNERMANN UND RUDOLF SCHNACKENBURG

155

OSTERGLAUBE OHNE AUFERSTEHUNG?

Internationaler Marken- und Titelschutz: Editiones Herder, Basel

OSTERGLAUBE OHNE AUFERSTEHUNG?

DISKUSSION MIT GERD LÜDEMANNN

INGO BROER
GERD LÜDEMANN
LORENZ OBERLINNER
KARL–HEINZ OHLIG
HANSJÜRGEN VERWEYEN

HERAUSGEGEBEN VON
HANSJÜRGEN VERWEYEN

HERDER

FREIBURG · BASEL · WIEN

Die Deutsche Bibliothek – CIP Einheitsaufnahme

Osterglaube ohne Auferstehung? : Diskussion mit
Gerd Lüdemann / hrsg. von Hansjürgen Verweyen
– Freiburg im Breisgau ; Basel ; Wien ; Herder, 1995
(Quaestiones disputatae ; 155)
ISBN 3-451-02155-2
NE: Verweyen, Hansjürgen [Hrsg.]; GT

Texterfassung und Reproduktionsvorlage durch den Herausgeber

Inhalt

Einführung von Hansjürgen Verweyen 7

I
Zwischen Karfreitag und Ostern 13
Gerd Lüdemann

II
Der Glaube an die Auferstehung Jesu und das geschichtliche
Verständnis des Glaubens der Neuzeit 47
Ingo Broer

III
„Gott [aber] hat ihn auferweckt" – Der Anspruch eines früh-
christlichen Gottesbekenntnisses 65
Lorenz Oberlinner

IV
Thesen zum Verständnis und zur theologischen Funktion der
Auferstehungsbotschaft 80
Karl–Heinz Ohlig

V
„Auferstehung": ein Wort verstellt die Sache 105
Hansjürgen Verweyen

Einführung

1. Zur Entstehung dieser Quaestio

Nach den heißen Disputen um die Oster-Thesen von Rudolf Bultmann, Willi Marxsen und Rudolf Pesch ist die Diskussion um den Auferstandenen eine Zeitlang in ruhigeren Bahnen verlaufen. Schon die ersten Reaktionen auf das im Frühjahr 1994 erschienene Buch von *Gerd Lüdemann*[1] machten aber klar, daß hier erneut ein Streit auszubrechen drohte, der - polemisch ausgetragen - in diesen Zeiten der Verwirrung um die Fundamente des Christlichen nur zu weiterem Schaden führen kann. Die von Lüdemann in ungewohnter Weise angegangenen Fragen sind in der Tat zentral. Lassen sie sich aber nicht auch in einer Weise öffentlich diskutieren, die der Sache weiterhilft? Das an der Theologischen Fakultät der Albert-Ludwigs-Universität Freiburg am 30. Juni und 1. Juli 1994 ausgetragene interdisziplinäre Kolloquium sollte einem solchen sachlichen Gespräch dienen. Die Einladenden - Lorenz Oberlinner für die neutestamentliche Exegese und Hansjürgen Verweyen für die Fundamentaltheologie -, die an dieser Fakultät schon ein ganzes Jahrzehnt in großer Eintracht ziemlich konträre Auffassungen in puncto Auferstehung vertreten, waren der Überzeugung, daß so etwas ohne Einbuße an kritischer Schärfe und Prägnanz möglich sei.

Hinter diesem eher äußerlichen Anlaß stand ein schwerer wiegendes Anliegen. Zu den Zeichen dieser Zeit scheint mehr und mehr das offene oder verhaltene Gähnen zu gehören, dem etwa Religionslehrerinnen und -lehrer begegnen, wenn sie das Wort "Auferstehung" auch nur in den Mund nehmen. Angesichts dieses Abnutzungsprozesses erstaunt umso mehr das Interesse, auf das be-

---

[1] Die Auferstehung Jesu. Historie, Erfahrungen, Theologie, Stuttgart ²1994.

reits die ersten Presseberichte zu Lüdemanns Buch gestoßen sind. Es lohnt sich vielleicht doch, diesem offenbar recht komplexen "Zeichen der Zeit" etwas aufmerksamer nachzugehen. Denn wir Theologen haben die Auferweckung Jesu ja nicht nur jenen gegenüber zu verwalten, die sich "ihren Osterglauben" ohnehin "nicht rauben" lassen, wie es in einem Kirchenliede heißt. Das, was Ostern meint, müssen wir vor einem breiteren Publikum verantworten. Und dies sollten wir nicht nur *den* Individuen unserer Spezies überlassen, deren Namen in jeder Quizsendung ohne weiteres abgerufen werden können. Möglicherweise haben die demgegenüber eher im Verborgenen blühenden Experten für diese schwierige Vermittlungsarbeit aber nötig, zunächst einmal selbst aus ihren fachterminologischen Gräbern auferweckt zu werden. Schon dies schien Grund genug für das Gespräch mit Gerd Lüdemann, der Theologie durchaus mit Blick über den Binnenraum sich abschirmender Kirchlichkeit hinaus betreibt.

Da Gerd Lüdemann für das Winterhalbjahr durch seine Gastprofessur in den USA gebunden war, blieb nur kurze Zeit zur Vorbereitung des Kolloquiums. Eine Reihe von ausgewiesenen Fachleuten in der Frage nach der Basis des Osterglaubens konnte wegen bereits festgelegter Termine der Einladung leider nicht folgen. So ergab sich die nicht voraussehbare Konsequenz, daß die vorliegende *Quaestio disputata* mehrheitlich von Theologen getragen wird, die mit ihrer Position sonst zur Minorität zählen - eine schon von daher interessante Alternative zu sonstigen Veröffentlichungen in dieser Sache.

An den Podiumsgesprächen nahmen - neben den in diesem Band vertretenen Referenten - Gisbert Greshake, Rudolf Pesch und Anton Vögtle teil. Diese Diskussionsbeiträge können hier leider nicht veröffentlicht werden, kommen aber doch insofern zu Wort, als bei der Ausarbeitung ihrer Beiträge für den Druck die fünf Autoren bemüht waren, die lebendige Auseinandersetzung auf dem Kolloquium mit einzubeziehen.

2. Zu den Einzelbeiträgen

Gerd Lüdemann ist Professor für Neues Testament an der Universität Göttingen und Gastprofessor an der Vanderbilt Divinity School in Nashville, USA. Er leitet das von ihm 1987 gegründete Archiv "Religionsgeschichtliche Schule" in Göttingen. Sein Buch über die Auferstehung Jesu fußt auf intensiven Einzelstudien[2]. In dem hier vorgelegten Beitrag "*Zwischen Karfreitag und Ostern*" leuchtet Lüdemann zunächst den Hintergrund für seine umstrittenen Thesen aus. Sie sind nicht zuletzt Ausdruck einer Auseinandersetzung mit dem von ihm beobachteten, weitverbreiteten Unwillen, sich ehrlich mit der Osterproblematik zu beschäftigen. Indem man der Frage, worin die Ostererfahrungen der Jünger denn eigentlich bestanden haben, nicht konsequent genug nachgeht, trägt man dazu bei, daß viele Christen aus der Erfahrungslosigkeit durchschnittlichen kirchlichen Lebens ins Esoterische drängen.

Die Grundlinien des Buchs werden kurz resümiert, an wichtigen Stellen - unter Berücksichtigung der ersten Rezensionen wie der auf dem Kolloquium erhobenen Einwände - aber auch ergänzt, z. B. durch eine genauere Analyse von Röm 7,7-25. Insbesondere in den Schlußpassagen eröffnet Lüdemann aufschlußreiche Perspektiven seiner Gesamtbeurteilung der Osterphänomene, wie sie so in seinem Buch noch nicht erkennbar waren. Vor allem das Kreuzesgeschehen erhält nun einen größeren Stellenwert.

Ingo Broer ist Professor für Biblische Theologie an der Universität Gesamthochschule Siegen. Zum Thema der Auferstehung Jesu hat er bereits wichtige Arbeiten publiziert[3].

In dem hier veröffentlichten Beitrag "*Der Glaube an die Auferstehung Jesu und das geschichtliche Verständnis des Glaubens in der Neuzeit*" geht Broer insbesondere den Problemen theologischer und historischer Hermeneutik nach, die nicht nur der Auseinander-

---

[2] Vgl. bes. *G. Lüdemann*, Paulus, der Heidenapostel. 2 Bde., Göttingen [2]1990; *ders.*, Das frühe Christentum nach den Traditionen der Apostelgeschichte, Göttingen 1987; *ders.*, Texte und Träume. Ein Gang durch das Markusevangelium in Auseinandersetzung mit Eugen Drewermann, Göttingen [1]1992, [2]1993.

[3] Vgl. bes. *I. Broer*, Die Urgemeinde und das Grab Jesu, München 1972; *ders.*, "Der Herr ist wahrhaft auferstanden" (Lk 24,34). Auferstehung Jesu und historisch-kritische Methode. Erwägungen zur Entstehung des Osterglaubens, in: *L. Oberlinner* (Hrsg.), Auferstehung Jesu - Auferstehung der Christen. Deutungen des Osterglaubens (QD 105), Freiburg 1986, 39-62; *I. Broer*, Auferstehung und ewiges Leben im Johannesevangelium, in: *ders.*, *J. Werbick* (Hrsg.), "Auf Hoffnung hin sind wir gerettet" (Röm 8,24). Biblische und systematische Beiträge zum Erlösungsverständnis heute (SBS 128), Stuttgart 1987, 67-94; *ders.*, "Der Herr ist dem Simon erschienen" (Lk 24,34). Zur Entstehung des Osterglaubens, in: SNTU 13 (1988) 81-100; *ders.*, "Seid stets bereit, jedem Rede und Antwort zu stehen, der euch nach der Hoffnung fragt, die euch erfüllt" (1 Petr 3,15). Das leere Grab und die Erscheinungen Jesu im Lichte der historischen Kritik, in: *ders.*, *J. Werbick* (Hrsg.), "Der Herr ist wahrhaft auferstanden" (Lk 24,34). Biblische und systematische Beiträge zur Entstehung des Osterglaubens (SBS 134), Stuttgart 1988, 29-61.

setzung um Lüdemann, sondern einem breiten Spektrum zeitgenössischer Theologie überhaupt zugrunde liegen. Sosehr er auf weite Strecken mit Lüdemann übereinstimmt, kann er auf diese Weise eine Reihe von Fragen näher bestimmen, die in den bisherigen Arbeiten Lüdemanns noch keine zureichende Antwort gefunden haben. Dabei wird vor allem das spannungsreiche Grundverhältnis zwischen Glaube und wissenschaftlicher Reflexion an der konkreten Frage nach der Basis des Osterglaubens intensiv herausgearbeitet.

Lorenz Oberlinner ist Professor für Neutestamentliche Literatur an der Universität Freiburg i. Br. Seine Veröffentlichungen zum Todesverständnis[4] und zur Auferstehung Jesu[5] sind in einem engen Zusammenhang zu sehen. Als einziger Autor in dieser *Quaestio* folgt er der "klassischen" Position, wonach "Auferweckung" ein Handeln Gottes *an* dem *toten* Jesus meint - also nicht als eine Metapher für die Endgültigkeit des Lebens Jesu in und aus Gott begriffen werden darf, wie sie grundsätzlich schon bei der Hinrichtung Jesu erkennbar war, von seinen Jüngern aber erst in "österlichen Widerfahrnissen" wahrgenommen wurde. In dem hier vorgelegten Beitrag *"Gott [aber] hat ihn auferweckt. Der Anspruch eines frühchristlichen Gottesbekenntnisses"* verweist Oberlinner zunächst darauf, daß bei einer Gewichtsverlagerung vom "auferstandenen Christus" auf den "historischen Jesus" hin man in die bekannte Schwierigkeit gerät, hier nur einer Vielzahl divergierender "Jesulogien", nicht aber "dem" Jesus der Geschichte zu begegnen. Am Leitfaden von Apg 2,14-36 verdeutlicht er sodann knapp die Grundzüge der heute mehrheitlich angenommenen Auferstehungskonzeption: Der Kreuzestod hatte das Recht der bisherigen Glaubensentscheidung der Jünger in Frage gestellt. Damit der von Jesus vertretene Vollmachtsanspruch im Horizont jüdischer

---

[4] *L. Oberlinner*, Todeserwartung und Todesgewißheit Jesu. Zum Problem einer historischen Begründung, Stuttgart 1980; *ders.*, Deutungen des Todes Jesu in der neutestamentlichen Tradition, in: LebKat 12 (1990) 78-88.

[5] *Ders.*, Die Verkündigung der Auferweckung Jesu im geöffneten und leeren Grab. Zu einem vernachlässigten Aspekt in der Diskussion um das Grab Jesu, in: ZNW 73 (1982) 159-182; *ders.*, Zwischen Kreuz und Parusie. Die eschatologische Qualität des Osterglaubens, in: *ders.* (Hrsg.), Auferstehung Jesu - Auferstehung der Christen. Deutungen des Osterglaubens (QD 105), Freiburg 1986; *ders.*, Zwei Auslegungen: Die Taufperikope (Mk 1,9-11 parr) und die Grabeserzählung (Mk 16,1-8 parr), in: *A. Raffelt* (Hrsg.), Begegnung mit Jesus? Was die historisch-kritische Methode leistet, Düsseldorf 1991, 42-66.

Glaubensmöglichkeiten dennoch als legitim gelten konnte, bedurfte es eines rechtfertigenden Eingreifens Gottes nach dem Karfreitag.

Karl-Heinz Ohlig ist Professor für Religionswissenschaft und Geschichte des Christentums an der Universität des Saarlandes (Saarbrücken). Sein Beitrag "*Thesen zum Verständnis und zur theologischen Funktion der Auferstehungsbotschaft*" macht das spannungsvolle Verhältnis zwischen religionswissenschaftlichen und theologischen Fragestellungen im Horizont der Auferstehungsproblematik besonders deutlich[6]. Im Unterschied zu dem nach R. Bultmann vorherrschenden Forschungstrend, historisch-kritische Exegese als Frage nach der Kontinuität zwischen dem "historischen Jesus" und dem "kerygmatischen Christus" zu betreiben, beschränkt sich Ohlig auf die Frage, was mit den Mitteln historischer Kritik allein über Jesus und seine Auferstehung ausgemacht werden kann. So erschreckend dürftig das Ergebnis, von christlicher Verkündigung her betrachtet, auch erscheinen mag: im Rahmen der eingespielten methodischen Voraussetzungen der sog. "historisch-kritischen" Exegese kann es sehr wohl bestehen. Bei der Hinterfragung dieser Voraussetzungen müßte man daher einsetzen, wenn man von der historischen Arbeit einen reicheren Ertrag im Hinblick auf die rationale Verantwortung christlicher Hoffnung erwartet.

Wichtig für die Diskussion um den Osterglauben sind auch die hier (gegenüber der Darstellung in Ohligs "Fundamentalchristologie") stark gekürzten Ausführungen über den breitgefächerten religionsgeschichtlichen Horizont von Jenseitserwartungen. Nur auf diesem Hintergrund läßt sich das Spezifikum des christlichen Osterglaubens genauer bestimmen.

Hansjürgen Verweyen ist Professor für Fundamentaltheologie an der Universität Freiburg i. Br. Als Herausgeber dieses Bandes erschien es ihm nützlich, hier nicht nur seine während des Kolloquiums vertretene Position auf dem Hintergrund bereits vorgeleg-

---

[6] Diese schmale Gratwanderung tritt bereits in der grundlegenden Arbeit von *K.-H. Ohlig,* Woher nimmt die Bibel ihre Autorität? Zum Verhältnis von Schriftkanon, Kirche und Jesus, Düsseldorf 1970, zutage. Die in dieser *Quaestio* vorgetragenen Ausführungen sollten auf dem Hintergrund seines monumentalen Werks: Fundamentalchristologie. Im Spannungsfeld von Christentum und Kultur, München 1986, gelesen werden.

ter Veröffentlichungen[7] zu präzisieren. Die Diskussion um G. Lüdemann hat nicht zuletzt gezeigt, wie schwierig es ist, die Frage nach der Basis des Osterglaubens im interdisziplinären Dialog zwischen der exegetischen und systematischen Theologie zu klären. Für den hier vorgelegten Beitrag " *'Auferstehung': ein Wort verstellt die Sache* " ist die Beobachtung leitend, daß die im apokalyptischen Horizont geprägte Kategorie "Auferweckung/Auferstehung" das den Osterglauben begründende Geschehen einer sehr engen Perspektive unterwirft. Nimmt man jene geschichtlich bedingte Metapher für die Sache selbst, dann ergeben sich nicht nur kaum lösbare Probleme aus religionskritischer Sicht (Theodizee!) und im Rahmen eines konsistenten Verständnisses des Glaubens an die Inkarnation. Schon der alttestamentliche Glaube an das von Jahwe geschenkte Leben und erst recht die Fülle neutestamentlicher Aussagen über das Heil, das Jesus - endgültig in und aus Gott lebend - für die Zukunft der ganzen Schöpfung verbürgt, kommen zu kurz, wenn man sie in das sprachliche Prokrustesbett "Auferstehung" zwängt.

Als für die zeitgenössische Diskussion fatal erweist sich darüber hinaus das etablierte Verständnis "historisch-kritischer" Exegese, von dem her die Theologie der verschiedenen neutestamentlichen Autoren als historisch irrelevant erscheint. Wenn beide Engführungen - durch die Monopolstellung der Auferstehungsmetapher und den inadäquaten methodischen Zugang zur Geschichte des Jesus von Nazaret - als solche erkannt werden, könnten die zentralen Probleme des Osterglaubens aus verkürzenden Fragestellungen heraus- und einer Diskussion zugeführt werden, in der eine wirklich wissenschaftliche Veranwortung des Osterglaubens weniger abwegig erscheint.

---

[7] Vgl. bes. *H. Verweyen*, Christologische Brennpunkte, Essen [1]1977, [2]1985; *ders.*, Die Ostererscheinungen in fundamentaltheologischer Sicht, in: ZKTh 103 (1981) 426-445; *ders.*, Die Sache mit den Ostererscheinungen, in: *I. Broer, J. Werbick* (Hrsg.), "Der Herr ist wahrhaft auferstanden" (s. Anm. 5), 63-80; *ders.*, Gottes letztes Wort. Grundriß der Fundamentaltheologie, Düsseldorf [2]1991, bes. Kap. 17; *ders.*, Der Glaube an die Auferstehung. Fragen zur "Verherrlichung" Christi, in: *B. J. Hilberath, K.-J. Kuschel, H. Verweyen*, Heute glauben. Zwischen Dogma, Symbol und Geschichte, Düsseldorf 1993, 71-88.

I

Zwischen Karfreitag und Ostern[1]

Gerd Lüdemann, Göttingen

I

An den Anfang meiner Darlegungen seien drei Zitate gestellt. Heinrich Weinel schrieb 1902: "Man liest ja fast nichts mehr …, was aus der Hand eines Theologen kommt, weil unsre theologischen Ahnen eine hohe Mauer um sich gebaut hatten aus Formeln und Geheimnisthuerei, berechnet, den Laien in Unklarheit zu halten."[2] Emanuel Hirsch beklagte in der Vorrede zu seinem Auferstehungsbuch aus dem Jahre 1940: "Es ist heut den Theologen durch allgemeines theologisches Begriffsspinnen vielfach verdunkelt, wie es mit unsrer geschichtlichen Erkenntnis des Ostergeschehens eigentlich steht, und wie weit die überwältigende Mehrzahl aller evangelischen Forscher sich von der neutestamentlichen Osterlegende schon entfernt hat. Unsre Nichttheologen aber wissen überhaupt nicht, was wir Theologen über den legendären Charakter der Ostergeschichten wissen und denken." Deswegen fordert Hirsch im Anschluß daran: "Was hier nottut, ist, daß rücksichtslos Klarheit erzwungen wird. Der Theologe ist es sich und seiner Gemeinde schuldig, hier sich und andern Rechenschaft zu geben,

---

[1] Das Folgende basiert auf meinem Buch "Die Auferstehung Jesu. Historie, Erfahrung, Theologie", das im März 1994 im Verlag Vandenhoeck & Ruprecht erschien und im Mai 1994 vom Radius-Verlag in einer Neuausgabe herausgebracht wurde. Über die Gründe der Trennung des Erstverlages vom Buch informiert mein Aufsatz "Das 'verflixte' siebte Buch", in: Spektrum 3/1994, 30f, der auch gesondert von der Pressestelle der Universität Göttingen bezogen werden kann. Wörtliche Übereinstimmungen mit der genannten Monographie habe ich nicht eigens nachgewiesen, jedoch angemerkt, wo sich Neuakzentuierungen ergeben. Ich war darum bemüht, wichtige Sekundärliteratur verstärkt zu berücksichtigen, auf inzwischen publizierte Kritik zu antworten und die Anfragen während des Freiburger Kolloquiums, auf das ich gerne zurückblicke, zu verarbeiten. An dieser Stelle ist es mir ein Herzensbedürfnis, Hansjürgen Verweyen für die Einladung nach Freiburg zu danken.

[2] *H. Weinel*, Rezension zu *P. Wernle*, Die Anfänge unsrer Religion, 1901, in: ChW 16, 1902, 98-105, hier 101.

was er nun eigentlich für geschichtlich wirklich, und auch, was er für ungeschichtlich hält."[3]

Und Gerhard Ebeling stellte im Jahre 1967 fest: "Was als befreiendes und ermächtigendes Geschehen am Anfang der Kirchengeschichte steht, ist heute vornehmlich Anlaß zur Verlegenheit und wird als schwer zu erschwingendes Glaubensgesetz empfunden ... Die Verworrenheit der Diskussionslage und die Gereiztheit der Diskussionsatmosphäre sind Ausdruck einer unbewältigten Aufgabe ..."[4].

Ich persönlich bin mit der Frage der Auferstehung Jesu seit Beginn des Theologiestudiums im Wintersemester 1966/67 beschäftigt. Die Unklarheit und Ahnungslosigkeit, aber auch der Unwille gegen eine ehrliche Beschäftigung mit dem Thema haben mich gestört, ja gequält, und ich erfahre den Widerstand von allen möglichen Seiten wiederum jetzt, wo das Thema anläßlich meines Auferstehungsbuches nun endlich auf dem Tisch ist.

Um nur *ein* Beispiel zu nennen: Der Schriftleiter der angesehenen Zeitschrift "Kerygma und Dogma" veröffentlichte unter der Überschrift "'Nonsense' (Lk 24,11)" dogmatische Beobachtungen zu meinem Buch und datierte sie bekenntnishaft mit "Ostern 1994"[5]. Das dogmatische Problem bei dem Buch sei "die Tatsache, daß hier methodisch und sachlich in Theologie und Verkündigung des neueren Protestantismus weit verbreitete Auffassungen begegnen ... *Es geht nicht um einen einzelnen Theologen, sondern um die Theologie der evangelischen Kirche und ihre Schriftgemäßheit"* (172). Natürlich horcht ein protestantischer Theologe auf, wenn er das mit der Reformation so eng verknüpfte Stichwort der Schriftgemäßheit vernimmt, und fragt sogleich fast neugierig: Wie wird der Rezensent mit der Zeit danach, nämlich der Aufklärung und dem hier erwachten historischen Bewußtsein umgehen? Antwort: Fast gar nicht. Die historische Methode sei "keine Ablösung der dogmatischen Methode, vielmehr handelt es sich um einen *Dogmengegensatz* bzw. einen *Dogmenwechsel"* (176). Indem sie die

[3] *E. Hirsch*, Osterglaube. Die Auferstehungsgeschichten und der christliche Glaube, in: *H. M. Müller* (Hrsg.),Osterglaube, Tübingen 1988, 24.

[4] *G. Ebeling*, Thesen zur Frage der Auferstehung von den Toten in der gegenwärtigen theologischen Diskussion (1967), in: *ders.*, Wort und Glaube III, Tübingen 1975, 448-454, hier 448.

[5] *R. Slenczka*, 'Nonsense' (Lk 24,11), in: KuD 40 (1994) 170-181. Belege aus diesem Aufsatz werden im Text in Klammern gegeben.

historische Frage "unter dem Aspekt der Analogie ... beantwortet" (179), verdränge sie die Sünde. "Wer nach Traditionen und Konstruktionen *hinter* den Texten sucht, wird offenbar blind für das, was tatsächlich *in* den Texten geschrieben steht" (173). Solcherart gegen den modernen Geist gewappnet, nimmt es nicht wunder, daß Slenczka hier (vgl. 179) und an anderer Stelle unmißverständlich Heilige Schrift und Gottes Wort gleichsetzt: *"Die Heilige Schrift Alten und Neuen Testaments ist das Wort des Dreieinigen Gottes, in dem er sich zu erkennen gibt, durch das er gegenwärtig ist, spricht und handelt."*[6] Es sei verfehlt zu sagen: "Die Heilige Schrift *enthalte* Gottes Wort in menschlicher Rede", sie *sei* aber nicht Wort Gottes, denn mit "dieser Auffassung werden Geist und Buchstaben in der Heiligen Schrift getrennt" (59). Konsequenterweise gilt die Inspirationslehre (vgl. 2 Tim 3,16f) uneingeschränkt (47-53), obwohl die "Erkenntnis ... der Verbalinspiration ... von mancherlei Mißverständnissen und Vorurteilen belastet" ist und "nur aus der Wirkung des Geistes in der Schrift erkannt werden" (53) kann[7]. Dabei wird offenbar ein Text wie Mk 16,15f zum authentischen Text des zweiten Evangeliums gerechnet (14)[8] und damit Wort Gottes, obwohl textkritisch Mk 16,9-20 mit Sicherheit erst später von fremder Hand hinzugefügt wurde und zudem mit einem anderen (sekundären) Schluß des Evangeliums konkurriert. Mit dieser Bemerkung, die auf historischer Erkenntnis gründet, schließe ich das Referat einer bezeichnenden Reaktion auf mein Auferstehungsbuch gleich wieder. Sie ist nur *ein* Beispiel für ein radikales Ausblenden der Prinzipien historischer Methodik. Die Tatsache, daß es sich bei dem Verfasser nicht um eine obskure Person handelt, muß davor warnen, eine solche Kritik zu leicht zu nehmen. Ich frage mich vielmehr, ob hier nicht doch eine weitverbreitete, in ihren Konsequenzen oftmals nicht deutliche kirchlich-theologische Strömung

---

[6] R. *Slenczka*, Kirchliche Entscheidung in theologischer Verantwortung. Grundlagen - Kriterien - Grenzen, Göttingen 1991, 38 (vgl. 262-271). Belege aus diesem Buch im folgenden im Text. Meine Anfragen zielen auf die Sache, nicht auf die Person des Rezensenten, der dem jüngeren Kollegen durch seine Polemik in einem allseits bekannten Organ ja nur geholfen hat. Im übrigen finde ich Slenczkas neoorthodoxe Position ehrlicher als die anderer evangelischer Dogmatiker, die nur den Schein historisch-kritischer Methode wahren.

[7] Vgl. auch *Slenczka*, 'Nonsense' (s. Anm. 5) 179.

[8] Vgl. auch *Slenczka*, 'Nonsense' (s. Anm. 5) 173.

endlich einmal mit aller wünschenswerten Klarheit in das Licht der Öffentlichkeit tritt.

Meine Gesprächspartner bei diesem Unternehmen, das die Tabuzone absichtlich berührt und den Schleier vom frühen Christentum gezielt zu lüften versucht[9], sind über die Konfessionen hinweg nachdenkliche, am Christentum interessierte Menschen, die der christlichen Sache an ihrem zentralen Punkt auf den Grund gehen wollen. Die meisten von ihnen haben längst die Auffassung aufgegeben, daß Jesus in wörtlichem Sinne zum Himmel gefahren sei. Sie haben längst erkannt, daß z. B. die Vermehrung der 4000 bzw. 5000 Brote oder die Wandlung von Wasser zu Wein in Kanaan nicht wörtlich verstanden werden können - wenigstens nicht im Jahre 1994 - und sie haben längst eingesehen, daß Maria, die Mutter Jesu, historisch gesehen, keine Jungfrau gewesen ist.

Jedoch sind die modernen Christen, die mit der Kirchenleitung befaßten Menschen und die Theologen sowohl auf römisch-katholischer als auch auf evangelischer Seite an einem Punkte zurückhaltend. Hält man es für selbstverständlich, daß die Wunder und die Jungfrauengeburt nicht historisch zu nehmen sind, so wird, wie Ingo Broer bemerkt hat, der historischen Kritik "bei der Auferstehung ... kein Pardon gewährt ... Allein bei der Auferstehung soll solche Betrachtung, die bis in weiteste Kreise Eingang gefunden hat, nicht gelten. Die Auferstehung soll, muß und kann - wenigstens nach Meinung vieler Theologen - leisten, was früher die Evangelien insgesamt, insbesondere aber Wunder, Auferstehung und Jungfrauengeburt zusammen leisteten: dem Glauben einen Grund zu geben. Je schwieriger das historische Verständnis der Wunder und der Jungfrauengeburt wurde, um so mehr konzentrierte man sich auf die Auferstehung ... und meinte, hier den Punkt der Punkte zu finden."[10]

---

[9] *Begründung:* "'Das Christentum gewinnt alles, wenn es ohne Schleier auftritt'. Ohne Schleier tritt es auf, wenn es aus dem Bereich der bloßen Idee in die Sphäre des Lebens tritt" (*W. Wrede*, Vorträge und Studien, Tübingen 1907, 13).

[10] *I. Broer*, "Seid stets bereit, jedem Rede und Antwort zu stehen, der nach der Hoffnung fragt, die euch erfüllt" (1 Petr 3,15). Das leere Grab und die Erscheinungen Jesu im Lichte der historischen Kritik, in: *ders.*, *J. Werbick* (Hrsg.), "Der Herr ist wahrhaft auferstanden" (Lk 24,34). Biblische und systematische Beiträge zur Entstehung des Osterglaubens, SBS 134, Stuttgart 1988, 29-61, hier 48.

Die Auferstehung Jesu dient also nach wie vor als die sozusagen bombenfeste[11] Grundlage für Theologie und Kirche, wie einige Zitate es belegen mögen: "Das Christentum steht und fällt mit der Wirklichkeit der Auferweckung Jesu von den Toten durch Gott."[12] "Das Christentum ... beginnt mit Ostern. Ohne Ostern kein Evangelium ... Ohne Ostern ... kein Glaube, keine Verkündigung, keine Kirche, kein Gottesdienst, keine Mission!"[13] Und auf die Frage nach der Wirklichkeit der Auferstehung antwortet Karl Barth: "Es könnte Ereignisse geben, die viel sicherer wirklich in der Zeit geschehen sind als alles, was die 'Historiker' als solche feststellen können. Wir haben Gründe, anzunehmen, daß zu diesen Ereignissen vor allem die Geschichte von der Auferstehung Jesu gehört."[14]

Demgegenüber ist mit Rudolf Bultmann natürlich gleich zu fragen: "Was für Ereignisse sind das, von denen gesagt werden kann, daß sie 'viel sicherer wirklich in der Zeit geschehen sind als alles, was die Historiker als solches feststellen können'?"[15]

Auf der anderen Seite gebietet es die Ehrlichkeit zu betonen: Alle heutigen Diskussionspartner - von Mormonen[16], Evangelikalen und Fundamentalisten einmal abgesehen[17] - "weichen ausnahmslos von der klassischen dogmatischen Behandlung der Auferstehungsfrage in katholischer und protestantischer Scholastik ab ... Es ist eine weitgehende Reduktion dessen eingetreten, was sich an Glaubens-

---

[11] Man vgl. brieflich *Theodosius Harnack* an seinen Sohn Adolf Harnack vom 29.01.1886: "Mit der Auferstehungstatsache steht und fällt ... das Christentum; mit ihr steht mir auch die Trinität bombenfest" (*Agnes v. Zahn-Harnack*, Adolf Harnack, Berlin 1936, 143).

[12] *J. Moltmann*, Theologie der Hoffnung, BEvTh 38, München ⁸1969, 150.

[13] *H. Küng*, Christ sein, München 1974, 371.

[14] *K. Barth*, Kirchliche Dogmatik Bd. III, Zweiter Teil, Zürich ²1959, 535.

[15] *R. Bultmann*, Das Problem der Hermeneutik (1950), in: *ders.*, Glaube und Verstehen II, Tübingen ⁴1965, 211-235, hier 234.

[16] Zu ihrer Zukunftserwartung vgl. als erste Information *B. Lang*, *C. McDannell*, Der Himmel. Eine Kulturgeschichte des ewigen Lebens, edition suhrkamp 1586, NF 586, Frankfurt 1990, 416-428.

[17] Im folgenden gehe ich auf diese Gruppen, von denen die beiden zuletzt genannten mir das Leben in Deutschland schwer machen wollen, nicht mehr ein. Doch sei die Bemerkung gestattet, daß evangelische Kirchenleitungen in Deutschland eine ernsthafte Beschäftigung mit evangelikal-fundamentalistischen Strömungen noch vor sich haben. Verwiesen sei ferner auf Anm. 247 meines Auferstehungsbuches, dessen zweiter Teil aus mir unerklärlichen Gründen nicht in die Erstauflage aufgenommen wurde. Er lautet (auf S. 227 der Neuausgabe): "*Noch einmal:* Wer ein rätselhaftes bzw. übernatürliches oder wunderhaft begründetes 'Etwas' hinter den 'Ostereignissen' annimmt, sollte ehrlicherweise auch offen eine fundamentalistische Position zu 'Ostern' einnehmen."

aussagen über die Auferstehung verbindlich formulieren läßt. Die Einschätzung dessen, was als sinnvolle Fragestellung zu gelten habe, hat sich verändert. Man ist genötigt, das Verhältnis zwischen Glaubensaussage und allgemeinem Wahrheitsbewußtsein (bzw. Wissenschaft) neu zu bestimmen. Einer gewissen kritischen Distanz auch dem biblischen Text gegenüber kann sich niemand mehr entziehen."[18]

Trotzdem gilt: Obgleich die eng mit der Auferweckung Jesu verbundene traditionelle Lehre von der Auferstehung der Toten, die verknüpft ist mit dem Weltende, der Wiederkunft Jesu und dem Endgericht, zutiefst unglaublich wirkt[19], bestimmt nach wie vor ein Gerippe dieser Vorstellungen die Theologie und Predigt, was um so weniger verwundert, als sie ja fester Bestandteil des christlichen Gottesdienstes, seiner Liturgie und auch der christlichen Dogmatik geblieben sind.

Doch stellt sich in diesem Zusammenhang die Frage an die akademische Theologie, ob sie sich damit nicht zunehmend von dem Boden der Wirklichkeit entfernt, d. h. von der Erfahrungswirklichkeit und den religiösen Gefühlen der ersten Christen, die Jesus gesehen haben. Mit anderen Worten, in der Dogmatisierung der Lehre von der Auferstehung Jesu und der Christen besteht die Gefahr, ein Stück lebendiger Religion buchstäblich zu Grabe zu tragen. Aus diesem Grunde habe ich mich in meinem Buch darum bemüht, möglichst konkret, anschaulich und sensibel die Erfahrungen[20] der Jünger und Jüngerinnen zwischen Karfreitag und Ostern nachzuzeichnen, um von hierher Einblick in die Entstehung des sogenannten Osterglaubens zu gewinnen und damit gleichzeitig einem Stück frühchristlicher Religion zur Auferstehung zu verhelfen.

---

[18] *Ebeling*, Thesen (s. Anm. 4) 448.
[19] Vgl. *T. Koch*, "Auferstehung der Toten". Überlegungen zur Gewißheit des Glaubens angesichts des Todes, in: ZThK 89 (1992) 462-483, hier 462.
[20] Vgl. zum Begriff "Erfahrung" *U. Köpf*, in: TRE X, 109-116. Im folgenden wird Erfahrung natürlich nicht verstanden als Besitz erworbener menschlicher Fähigkeiten (vgl. den Satz "die Erfahrung lehrt"), sondern als Primärphänomen. D. h., religiöse Erfahrung vollzieht sich in nicht-rationalem Bereich, ist rezeptiv und hebt die Raum-Zeit-Beschränkung sowie die Subjekt-Objekt-Beziehung auf. Man vgl. auch die Definition von Vision (unten S. 30), die eine religiöse Erfahrung genannt werden kann. Im übrigen empfiehlt es sich nicht, Erfahrung zu eng zu definieren, da an den Einzeltexten die betreffenden Phänomene erst noch zu klären sind.

Nun wird vielfach dagegen vorgebracht, diese Erfahrungen näher zu erkennen, sei heute unmöglich[21]. Gegenüber einem solchen Einwand, der ein bemerkenswertes Interesse an der Nichterkennbarkeit vergangener Phänomene zu haben scheint, ist aber - wiederum in Anlehnung an Ingo Broer - zu bedenken: "Was die sogenannten Jugendreligionen - um nur ein Beispiel zu nennen - den 'etablierten' Kirchen voraushaben, ist aber gerade, daß ihre Anhänger Erfahrungen machen, oder vorsichtiger, sich jedenfalls auf Erfahrungen berufen, die sie so in den Kirchen nicht gemacht haben. Die Frage, worin die Erfahrungen der Jünger Jesu (aber auch die der Urkirche und der jungen Kirche) bestanden haben, dürfte auch die gegenwärtige, weitgehend von Erfahrungslosigkeit in religiösen Dingen geprägte Situation beleuchten; Erkenntnisse auf diesem Gebiet könnten so vielleicht auch zu neuen Erfahrungen mit dem christlichen Glauben in der Gegenwart verhelfen"[22]. Dabei geht es mir auch um eine Vermenschlichung der frühesten Ge-

---

[21] Man vgl. *H. Kessler*, Sucht den Lebenden nicht bei den Toten. Die Auferstehung Jesu Christi in biblischer, fundamentaltheologischer und systematischer Sicht, Düsseldorf 1985, 233f; *A. Vögtle*, Die Dynamik des Anfangs. Leben und Fragen der jungen Kirche, Freiburg 1988, 16f (unter Zusammenfassung früherer, auch von Kessler benutzter Arbeiten): "Daß es kaum mehr möglich ist, das den Osterglauben auslösende Widerfahrnis in seinem konkreten Wie zu fassen, braucht uns nicht sonderlich zu verwundern. Das ist nicht nur in dem als striktes Wunder vorauszusetzenden Offenbarungsgeschehen selbst begründet, sondern auch in der Eigenart der uns verfügbaren Quellen. Die apostolische Generation hat keine Schrift hervorgebracht, in der die Augen- und Ohrenzeugen möglichst exakt und erschöpfend beschreiben würden, was sie bis zum Karfreitag und nach demselben konkret erlebten und von Anfang an im einzelnen verkündeten." Ich habe Schwierigkeiten mit Vögtles Ausdruck "als striktes Wunder vorauszusetzendes Offenbarungsgeschehen", der aus der Dogmatik stammt und in der Form, wie er bei Vögtle gebraucht wird, keinen Raum für die Möglichkeit läßt, daß "psychologisch und historisch gesehen ... die 'Visionen' der Jünger keineswegs analogielos und unerklärlich, nur aus einer 'übernatürlichen' Kausalität' ableitbar" sind (*J. Werbick*, Die Auferweckung Jesu - Gottes 'eschatologische Tat'?, in: *I. Broer*, *ders.* (Hrsg.), "Der Herr ist wahrhaft auferstanden!" (Lk 24,34). Biblische und systematische Beiträge zur Entstehung des Osterglaubens, SBS 134, Stuttgart 1988, 81-131, hier 127). Diese verschiedenen Ausgangspunkte wurden auch bei dem Freiburger Kolloquium sichtbar und ebenfalls in einer Rezension, die der Freiburger Altmeister der Exegese meinem Auferstehungsbuch widmete; vgl. CiG 46 (1994) 175.183.191. Letztlich steht selbst ein so hochverdienter Exeget wie Anton Vögtle mit seiner Sicht von Ostern auf dem Boden des Supranaturalismus, für den die verobjektivierende (!) Rede vom erhöhten Herrn eine Selbstverständlichkeit ist.

[22] *I. Broer*, "Der Herr ist wahrhaft auferstanden" (Lk 24,34). Auferstehung Jesu und historisch-kritische Methode. Erwägungen zur Entstehung des Osterglaubens, in: *L. Oberlinner* (Hrsg.), Auferstehung Jesu - Auferstehung der Christen. Deutungen des Osterglaubens (QD 105) Freiburg 1986, 39-62, hier 46.

schichte des Christentums[23], damit wir in ihr und in den damals handelnden Menschen etwas Eigenes von uns wiedererkennen können, und dieser Anschluß erfolgt nicht über Dogmen, sondern über Erfahrungen. Erinnert sei in diesem Zusammenhang an das Wort eines vergessenen Theologen: "Die Menschen werden erst wieder Christen werden, wenn die Christen lernen, Menschen zu werden und nichts Menschliches ihnen fremd ist."[24]

Mit diesen Bemerkungen, die ja fast ein ganzes theologisches Programm enthalten, ist bereits vorgegriffen. Zunächst geht es ja schlicht um die historische Rekonstruktion der Ereignisse zwischen Karfreitag und Ostern. Dabei bin ich mit Wolfhart Pannenberg der Auffassung, daß ein "Urteil darüber, ob ein noch so ungewöhnliches Ereignis geschehen ist oder nicht, ... letztlich Sache des Historikers ist und durch naturwissenschaftliche Erkenntnisse nicht vorentschieden werden kann"[25]. Ebenfalls ist mit Pannenberg die Allmacht des Analogiegedankens in der historischen Forschung und das Postulat der prinzipiellen Gleichartigkeit allen Geschehens zu relativieren, denn die "historische Methode hat ihre großen Triumphe immer da erlebt, wo sie konkrete Gemeinsamkeiten aufweisen konnte, nie da, wo sie Analogien verabsolutierend extrapolierte"[26]. "'Historizität' muß nicht bedeuten, daß das als historisch tatsächlich Behauptete analog oder gleichartig mit sonst bekanntem Geschehen sei."[27] Im Laufe der Zeit ändert sich ja auch, was man für möglich hält. Tatsächlich einmal Geschehenes ist unabhängig davon, ob spätere Zeiten es für möglich halten oder nicht. "Könnte nicht früher möglich, ja sogar wirklich gewesen sein, was wir heute nur nicht mehr erkennen?"[28] Diese Frage ist

---

[23] Ich erlaube mir den Hinweis auf Johann Lorenz Mosheim - erster Kanzler der Universität Göttingen (seit 1747) -, dessen anthropologische Kirchengeschichtsschreibung "für die Kirchengeschichtsschreibung die kopernikanische Umdrehung" (W. Nigg, Die Kirchengeschichtsschreibung. Grundzüge ihrer historischen Entwicklung, München 1934, 110) bedeutet.

[24] A. Meyer, Theologie, Wissenschaft und kirchliche Bedürfnisse, 1903, 52. Vgl. den Satz von Terenz: "homo sum, humani a me nihil alienum puto", der von vielen Aufklärern (Diderot und anderen) aufgenommen wurde. Vgl. P. Gay, The Enlightenment. An Interpretation, New York 1966, 128.

[25] W. Pannenberg, Grundzüge der Christologie, Gütersloh 1964, 96.

[26] W. Pannenberg, Heilsgeschehen und Geschichte (1959), in: ders., Grundfragen systematischer Theologie I, Göttingen ³1979, 22-78, hier 52.

[27] W. Pannenberg, Systematische Theologie II, Göttingen 1991, 403.

[28] A. Suhl, Die Wunder Jesu. Ereignis und Überlieferung, in: ders. (Hrsg.), Der Wunderbegriff im Neuen Testament, WdF 295, Darmstadt 1980, 464-509, hier 465.

ernst zu nehmen. Doch ändert sie grundsätzlich gar nichts an der Gültigkeit der historischen Methode. Ihre Vertreter werden die Frage vielmehr als Ermahnung auffassen müssen, sie noch geschmeidiger zu handhaben. M. a. W., die Kritik an der historischen Methode und deren Gefahr, geschichtliche Begebenheiten auf das Allgemeine zu reduzieren, trifft zwar zu; doch wird damit der historische Ansatz noch längst nicht aus den Angeln gehoben[29].

Überhaupt ist es immer schwierig, allgemein über Methoden zu reden (Faustregel [, die sich allzu oft bewahrheitet]: Wer nichts von der Sache versteht, redet über Methode), statt an dem gegebenen Textmaterial Methoden zu entwickeln[30], und der Satz bleibt gültig: Rekonstruktion und Analyse müssen sich an den vorhandenen Quellen orientieren. An ihrer Analyse fällt die Entscheidung über ihren geschichtlichen Wert. Ich möchte die Pflicht des Historikers vergleichen mit der Aufgabe, die bei einer Verhandlung vor Gericht besteht[31]. Es geht um die Prüfung der Zeugen und - zum Zwecke der Urteilsbildung - um die Rekonstruktion eines wahrscheinlichen Geschehensablaufs. Dieser ist so lange wahr, bis neue Quellen, Analysen mit anderem Ergebnis und/oder überzeugende Gegenargumente vorgebracht werden. M.a.W., Wahrscheinlichkeit ist Wahrheit, deren Erkenntnis zwar noch mit Mängeln behaftet, aber deswegen nicht trüglich ist (Immanuel Kant).

II. Die Quellen

1 Kor 15:
An erster Stelle stehen die Briefe des Apostels Paulus, näherhin der 1 Kor und hier Kap. 15. Paulus erinnert zu Beginn die Korinther daran, was er ihnen bei der Gründung der Gemeinde überliefert hat (V. 1.3a) und betont, es selbst - wohl bald nach seiner Bekehrung -

---

[29] Seine Prinzipien der Analogie, Kausalität und Korrelation sind klassisch formuliert von *E. Troeltsch*, Über historische und dogmatische Methode in der Theologie, in: *ders.*, Gesammelte Schriften II, Tübingen1913, 729-753, doch wurden sie schon lange vorher ausgebildet und zur Geltung gebracht. Vgl. die Proben bei *G. Lüdemann*, Paulus, der Heidenapostel, Bd. II: Antipaulinismus im frühen Christentum, FRLANT 130, Göttingen 1983, 22f.

[30] Vgl. *G. Lüdemann*, Das frühe Christentum nach den Traditionen der Apostelgeschichte. Ein Kommentar, Göttingen 1987, 27.

[31] Zum Vergleich des Historikers mit dem Richter vgl. *W. Bauer*, Rechtgläubigkeit und Ketzerei im ältesten Christentum, BHTh 10, Tübingen ²1964, 1.

empfangen zu haben (V. 3b). Diese ereignete sich ca. 34 n. Chr. Es ist nun ein großer Glücksfall für die historische Rekonstruktion, daß der Apostel diese auch in chronologischem Sinne vor-paulinische Überlieferung anschließend noch einmal zitiert. Sie lautet in V. 3c-5:

"Daß Christus für unsere Sünden gestorben ist nach den Schriften und daß er begraben wurde

und daß er auferweckt worden ist am dritten Tage nach den Schriften und daß er dem Kephas erschien, dann den Zwölfen."

Diese Tradition, die aus einem parallel gebauten Zweizeiler besteht, stellt bereits verschiedene Aussagen zu katechetischen Zwecken zusammen. In ihr geht es um einen je doppelten Beweis a) aus den Schriften, auf die jedoch nur allgemein verwiesen wird, und b) aus einer bestätigenden Tatsache (Begräbnis Jesu/Erscheinung vor Kephas).

Dabei besteht die Überlieferung an sich bereits aus disparaten Traditionselementen. So stehen z. B. die Aussage von Jesu Auferstehung bzw. Auferweckung und die von Jesu Tod "für unsere Sünden" ursprünglich nicht nebeneinander und sind erst auf der Stufe der vorpaulinischen Tradition zusammengestellt worden. Das viermal erscheinende und vielleicht auf Paulus selbst zurückgehende "daß" gibt dabei auch äußerlich zu erkennen, daß verschiedene Formeln aneinandergereiht worden sind. Diese disparate Tradition muß Grundlage aller weiteren Analysen sein.

Die Rekonstruktion der historischen Tatsachen auf der Grundlage von 1 Kor 15,3-5 unter Hinzuziehung anderwärts gewonnener geschichtlicher Daten führt zu folgendem Ergebnis:

a) Zu den historischen Fakten ist zunächst die Tatsache von Jesu Tod am Kreuz - einer römischen Hinrichtungsart - zu rechnen.

b) Er wurde von einem Fremden bestattet[32], wobei die Kenntnis

---

[32] *W. Pannenberg*, Die Auferstehung Jesu. Historie und Theologie (Vortrag in Göttingen am 23.06.1994, erscheint in ZThK 91, Heft 3. 1994) und *U. Luz*, Aufregung um die Auferstehung Jesu, in: EvTh 54 (1994), denen ich für die Zusendung ihrer Kritik an meinem Buch danke, unterschätzen m. E. das Gewicht der von Mk 15,42-47 *unabhängigen* Tradition einer Beisetzung Jesu durch Juden in Joh 19,31-37 und Apg 13,29 und beachten nicht, daß auch nach meinem Urteil beide Überlieferungen vielleicht übereinstimmend Joseph von Arimatäa kannten. Auch sie können die Tatsache nicht bestreiten, daß Joseph von Arimatäa in der frühchristlichen Tradition sekundär christianisiert und, damit Hand in Hand gehend, das Begräbnis Jesu zunehmend positiv ausgemalt wird. Da bereits der Mk-Bericht sowohl hinsichtlich des Joseph als auch hinsichtlich der Bestattung Jesu verschönende Züge aufweist, habe ich geschlossen, daß bereits er auf dieser positiven Schiene liege, und habe in der

des Bestattungsortes Jesu in der Urgemeinde großen Zweifeln unterliegt[33].

c) Die Jünger sind nach Galiläa geflohen, aus Entsetzen angesichts dessen, was mit Jesus geschah.

d) Petrus hat seinen Meister während der Festnahme verleugnet[34], d. h. er hat ihn verlassen, um der drohenden eigenen Kreuzigung zu entgehen.

Ein Spezialproblem: War das Grab Jesu leer?

Nach der Aufzählung der relativ gut gesicherten Fakten im Umkreis der Hinrichtung Jesu wende ich mich einer umstrittenen Einzelfrage zu, deren Beantwortung für die Frage der Auferstehung Jesu wichtig ist. Also: Wie steht es mit der Behauptung des Mk und aller ihm folgenden Evangelisten, das Grab Jesu sei leer gewesen?

Die älteste Quelle 1 Kor 15, Paulus bzw. seine Überlieferung, kennt das leere Grab nicht. Hier steht nur die Aussage eines Begräbnisses, die den Tod Jesu hervorhebt. Eine davon zu unterscheidende Frage ist, ob sich Paulus auf Nachfrage das Grab als leer vorgestellt hätte. Das wäre aber nur eine "verschmitzte Apologetik" (Emanuel Hirsch).

Nun betont Wolfhart Pannenberg: "Wer das Faktum des leeren Grabes bestreiten will, muß den Nachweis führen, daß es unter den zeitgenössischen jüdischen Zeugnissen für den Auferstehungsglauben Auffassungen gegeben hat, wonach die Auferstehung des Toten mit dem im Grabe liegenden Leichnam nichts zu tun haben braucht."[35]

Joh/Apg-Überlieferung eine "neutralere" Vorform dafür gefunden.

[33] Gisbert Greshake wies mich auf dem Freiburger Kolloquium auf die in neuerer Zeit entdeckten Gräber in Jerusalem hin und hält es für undenkbar, daß das Grab Jesu in Vergessenheit geraten sei. *Antwort:* Wir haben keinen Beleg für die Verehrung des Grabes Jesu. Es wurde erst wiederentdeckt, als man es 300 Jahre später brauchte (vgl. *Lüdemann*, Auferstehung [s. Anm. 1] 133). Man vgl. ferner die nüchterne Analyse von *Joan E. Taylor*, Christians and Holy Places. The Myth of Jewish-Christian Origins, Oxford 1993.

[34] Mir ist unerfindlich, wie diese Aussage der Tradition immer wieder bestritten werden kann. Man vgl. selbst *E. Schillebeeckx*, Jesus. Die Geschichte von einem Lebenden, Freiburg 1975, 288: "Die *besondere* Verleugnung des Petrus ist wohl eine literarische, spätere Konkretisierung des Versagens *aller* Jünger, mit veranlaßt durch die spätere Position des Petrus im frühen Christentum."

[35] *Pannenberg*, Theologie II (s. Anm. 27) 401.

23

Setzen wir einmal voraus, daß die Juden im Palästina des ersten Jahrhunderts, soweit sie die Lehre einer Auferstehung vertraten[36], diese körperlich dachten[37], so folgt daraus doch keinesfalls bezüglich der Auferstehung Jesu die Faktizität des leeren Grabes. Denn was damals unter bestimmten weltanschaulichen Voraussetzungen gedacht werden *mußte*, ist damit für uns heute noch lange kein Faktum. Den Ausschlag können allein die Quellen, in diesem Fall nach 1 Kor 15 die Analyse von Mk 16,1-8 geben[38].

Mk 16,1-8:

Der Erzählablauf besteht im Anschluß an Lorenz Oberlinner[39] aus drei Teilen: Die Frauen sind 1. auf dem Weg *zum* Grab (V. 2-4), 2. *im* Grab (V. 5f), 3. flüchten sie *vom* Grab *weg* (V. 8). Strenggenommen entdecken die Frauen gar nicht das leere Grab, sondern den Jüngling. Die Geschichte findet somit ihr Zentrum in seiner Verkündigung: "Jesus ist auferweckt worden" (V. 6).

Ist somit klar erkennbar, wie die Erzählung nach Gesichtspunkten des erzählerischen Ablaufs gestaltet ist, stellt sich sofort die Frage nach ihrer Historizität, die hier nur in aller Kürze behandelt werden kann[40].

Vielfach wird eine Art Subtraktionsmethode[41] angewandt, wobei man zwecks Rekonstruktion eines historisch zuverlässigen Berichts

---

[36] Die Sadduzäer (vgl. Mk 12,18) taten das ja nicht.

[37] Man vgl. *Pannenbergs* (Theologie II [s. Anm. 27]) Hinweis auf die Unterschiedlichkeit der Vorstellungen von der Leiblichkeit der Auferweckten und die mangelnde Klärung des Verhältnisses des Leichnams im Grabe zum aufzuerweckenden Leichnam in der eschatologischen Zukunft. Doch gibt es auch einen freilich selig sicheren Text, nach dem Begrabene mit ihrem Geist bei Gott sind, obwohl sich die Gebeine im Grab befinden. Vgl. Jub 23,31: "Und ihre Gebeine werden in der Erde ruhen, und ihr Geist wird viel Freude haben." Man vgl. dazu auch *M. Hengel*, Judentum und Hellenismus. Studien zu ihrer Begegnung unter besonderer Berücksichtigung Palästinas bis zur Mitte des 2. Jh. v. Chr., WUNT 10, Tübingen [2]1973, 362f und *G. Greshake*, *J. Kremer*, Resurrectio Mortuorum. Zum theologischen Verständnis der leiblichen Auferstehung, Darmstadt [2]1992, 131.

[38] *Pannenberg*, Christologie (s. Anm. 25) versteift sich sogar zur Behauptung, es komme für eine Urteilsbildung bezüglich des leeren Grabes "gar nicht in erster Linie auf das Ergebnis einer Analyse von Mk 16 an" (99), und verläßt damit seinen richtigen Grundsatz, daß es auch bei der Frage der Auferstehung Jesu um eine historische Aufgabe gehe.

[39] *L. Oberlinner*, Zwei Auslegungen: Die Taufperikope (Mk 1,9-11 parr) und die Grabeserzählung (Mk 16,1-8 parr), in: *A. Raffelt* (Hrsg.), Begegnung mit Jesus? Was die historisch-kritische Methode leistet, Düsseldorf 1991, 42-66, hier 54f.

[40] Verwiesen sei auf *Lüdemann*, Auferstehung (s. Anm. 1) 126-138.

[41] Zu ihren Problemen vgl. *I. Broer*, "Seid stets bereit ..." (s. Anm. 10) 36-42.

lediglich die unglaubwürdigen Züge streicht. Da davon viele im Text vorkommen (Salbung am dritten Tage [V. 1]; das Nachdenken über den Rollstein just im Moment, da die Frauen sehen können, daß er schon weggewälzt ist [V. 3f]; die Engelserscheinung [V. 5]; das Schweigen der Frauen über das geöffnete Grab [V. 8]), bleibt oft nur das Faktum des Grabbesuchs von drei namentlich genannten Frauen am dritten Tag übrig[42], zuweilen aber auch ihre Entdeckung des leeren Grabes[43]. Dieser zuletzt genannte Vorschlag Hans v. Campenhausens setzt *erstens* die Kenntnis der Begräbnisstätte Jesu voraus, was ja erheblichen Zweifeln ausgesetzt ist. *Zweitens* rechnet er gegen Mk 16,8 damit, die Frauen hätten den Jüngern doch etwas von ihrer "Entdeckung" des leeren Grabes erzählt. *Drittens* nimmt er nicht zu Kenntnis, daß Mk 16,1-8 strenggenommen gar nicht von der Entdeckung des leeren Grabes erzählt, sondern von der Verkündigung des Auferstandenen (V. 6) am leeren Grab. *Viertens* weiß ich nicht, wie v. Campenhausen und alle, die ihm folgen, der fatalen, aber in derselben Art verfahrenden und auf der Subtraktionsmethode beruhenden Rekonstruktion etwa von Kirsopp Lake entgehen wollen: Lake hatte vorgeschlagen, Mk 16,1-8 liege ein Bericht zugrunde, nach dem die namentlich genannten Frauen am dritten Tag das Grab Jesu aufsuchen wollten und ein geöffnetes Grab irrtümlich für Jesu Grab gehalten hätten. Ein in der Nähe stehender Jüngling habe sie über ihren Irrtum aufklären wollen und gesagt: er sei nicht dort, wo sie ihn suchen[44].

Wolfhart Pannenberg hat sich in seinem letzten Beitrag zur Auferstehungsfrage auf v. Campenhausen berufen und betont, die Zuschreibung der Entdeckung des leeren Grabes an Frauen und vor allem das Fehlen einer Christuserscheinung am Grabe mache die Annahme einer rein legendären Bildung unglaubwürdig[45]. Da auch

---

[42] *Hirsch*, Osterglaube (s. Anm. 3) 58-60.

[43] So *H. v. Campenhausen*, Der Ablauf der Osterereignisse und das leere Grab ([2]1958), in: *ders.*, Tradition und Leben. Kräfte der Kirchengeschichte, Tübingen 1960, 48-113, hier 95f.

[44] *K. Lake*, The Historical Evidence for the Resurrection of Jesus Christ, London [2]1912, 251-253. *H. v. Campenhausen*, Ablauf (s. Anm. 43) bemerkt zwar indirekt zum Vorschlag Lakes und ähnlichen Rekonstruktionen: "Wer mit einer Umbettung, Verwechslung oder sonstigen Unglücksfällen rechnen möchte, kann seine Phantasie natürlich beliebig spielen lassen - hier ist alles möglich und nichts beweisbar. Aber das hat mit kritischer Forschung dann nichts mehr zu tun" (95f), doch bleibt seine eigene These methodisch auf derselben Ebene wie die von Lake und anderen.

[45] *Pannenberg*, Auferstehung (s. Anm. 32); vgl. *v. Campenhausen*, Ablauf (s. Anm. 43) 94.

seiner Meinung nach gegen v. Campenhausen, der die Entdeckung des leeren Grabes durch Frauen als auslösenden Faktor der Erscheinung Jesu in Galiläa ansieht[46], die im Worte des Engels Mk 16,6f reflektierte Erscheinungstradition (vor Kephas) *unabhängig* von der Grabestradition entstanden ist, spricht er von einer Konvergenz verschiedener Befunde, a) der Entdeckung des leeren Grabes durch Frauen in Jerusalem und b) der Erscheinung Jesu vor Kephas in Galiläa[47]. Doch erhebt sich sofort Kritik an dieser Konvergenz-Theorie, und zwar nicht wegen des säkularistischen Dogmas, daß Tote nicht auferstehen, sondern weil sie phantastisch ist (wie soll man sich das denn konkret - ohne Hokuspokus - vorstellen?).

Das *Fazit* muß also lauten: Mk 16,1-8 ist als Quelle für die Entdeckung des leeren Grabes ohne historischen Wert[48].

Gegen die These des leeren Grabes habe ich die Formel vom *vollen Grab* als eine Art Kampfesformel benutzt, um die Tatsache des wirklichen Menschseins Jesu, die brutale Tatsächlichkeit seines Todes förmlich einzuhämmern, dies auch, um dem Realitätsprinzip in Theologie und Kirche verstärkt Geltung zu verschaffen, da hier eine weitverbreitete Neigung zum Spiritualisieren besteht[49]. Es geht also darum, plastisch vor Augen zu führen, daß Jesus einer von uns war, blutig gestorben und menschlich verwest ist.

Ulrich Luz hat kürzlich die Verwesungs-These als eher "dem Analogieprinzip entspringendes Postulat als eine historisch 'unumgängliche' Feststellung"[50] bezeichnet. Er fährt fort: "Das Grab, ob voll oder leer oder gar nicht auffindbar, ist aber etwas völlig zweideutiges: Bei den Frauen von Mk 16 löste das *leere* Grab

---

[46] *v. Campenhausen*, Ablauf (s. Anm. 43) 107.

[47] *Pannenberg*, Auferstehung (s. Anm. 32). Vgl. den Satz: "Und in der Tat hat zwar nicht die Nachricht vom leeren Grab für sich allein, wohl aber die Konvergenz einer unabhängig davon entstandenen, auf Galiläa zurückgehenden Erscheinungstradition mit der Jerusalemer Grabestradition erhebliches Gewicht für die historische Untersuchung."

[48] In neuerer Zeit mehren sich wieder gegenteilige Stimmen, doch sind sie m. E. ohne analytische Kraft. Vgl. z. B. *C. Rowland*, Christian Origins, London 1985, 187-193, der die Entdeckung des leeren Grabes am Ostermorgen als eines der "Signale von Transzendenz" ansieht (193). Mir fehlt dazu die historische Konkretion und die nötige Phantasie, obwohl der suggestive Druck der Berichte der vier kanonischen Evangelien ja enorm ist.

[49] Man vgl. in einem anderen Zusammenhang dazu die Bemerkungen von *G. Theißen*, Studien zur Soziologie des Urchristentums, WUNT 19, Tübingen 1979, 6.

[50] *Luz*, Aufregung (s. Anm. 32).

26

Furcht und Ratlosigkeit aus; bei manchen christlichen Gemütern heute bewirkt die Lüdemannsche Kunde vom *vollen* Grab dasselbe. Beides ist gar nicht weit voneinander entfernt. Darin bin ich also (und sind die allermeisten!) mit Lüdemann einig: Die Auferstehung Jesu selbst ist als historisches Ereignis nicht fassbar; wer aus dem leeren Grab eine Aussage des Glaubens und aus dem vollen Grab eine des Unglaubens macht, hat noch wenig von der Auferstehung Jesu begriffen."[51] So wohlwollend und wohltuend diese freundlichen Bemerkungen auch sind: Wenn die Auferstehung Jesu als historisches Ereignis nicht faßbar ist, warum kann dann nicht deutlich gesagt werden, der Leichnam Jesu sei verwest, und warum spricht Luz von einem Postulat des Analogieprinzips statt von der Tatsache der Verwesung Jesu? (Will er sich vielleicht im Sinne Karl Barths [s. Anm. 14] ein Hintertürchen offenhalten?) Es wäre doch ein starkes Stück, wenn der Historiker fortan nur noch von denjenigen Personen der Antike, von denen eine Auferstehung, Entrückung oder dergleichen ausgesagt wurde, die Verwesung aussagen könnte, deren Knochen zweifelsfrei identifiziert worden wären. Positiv gesagt: Die Tatsachenaussage der Verwesung Jesu ist für mich Ausgangspunkt aller weiteren Beschäftigung mit den Fragen im Umkreis seiner "Auferstehung".

Der plötzlich entstandene Osterglaube als Ergebnis von Visionen

Eine geschichtliche Analyse der urchristlichen Auferstehungsverkündigung führt also nicht zur Feststellung eines übernatürlichen Ereignisses des Entschwindens Jesu aus dem Grab, sondern zum Konstatieren des *plötzlich* entstandenen Osterglaubens, der sich in dem theologischen Satz "Gott hat Jesus von den Toten erweckt" niedergeschlagen hat und fortan fester Bestandteil des Bekenntnisses wurde.

Aber was konkret hat die Jünger zu diesem Satz geführt? Meine Antwort: Visionen[52]. Von außen betrachtet, sind die Ostererfahrun-

---

[51] Ebd.

[52] Der Komplex "Visionen" ist in der protestantischen Theologie arg vernachlässigt, und ihre Geschichte der Voreingenommenheit gegenüber diesem Phänomen muß erst noch geschrieben werden. Um meinen Student(inn)en einen Denkanstoß zu geben, sage ich oft: Im Anfang war nicht das Wort, sondern das Bild. In meinem Buch und hier arbeite ich mit der oben im Text gegebenen Definition und möchte darauf verweisen,

gen als Visionen zu bezeichnen. Visionen sind das visuelle Erscheinen von Personen, Dingen oder Szenen, die keine äußere Wirklichkeit haben; eine Vision erreicht ihre Empfänger(innen) nicht über die anatomischen Sinnesorgane, sondern ist Produkt der Vorstellungskraft und Phantasie. Ausgangspunkt für die These, daß die ältesten Ostererfahrungen Visionen sind, ist Paulus, dies allerdings nur unter der Voraussetzung, daß die Erscheinung vor Paulus (1 Kor 15,8) von derselben Art war wie die vorher genannten Erscheinungen. Da der Apostel seine Begegnung mit Jesus vor Damaskus mit den Erscheinungen vor den früheren Zeugen parallelisiert, ist diese Voraussetzung gut begründet[53].

Die konkrete Füllung von "er erschien" (1 Kor 15,8) ergibt sich aus anderen Texten, in denen Paulus auf das Damaskusereignis zu sprechen kommt: So berichtet Paulus 1 Kor 9,1 davon, bei Damaskus Jesus gesehen zu haben. Dabei verwendet er die 1. Pers. Perf. des Verbs "sehen", wohlgemerkt als eine Form des Aktivs. Er drückt also denselben Sachverhalt wie 1 Kor 15,8 aus, wo er von einer Erscheinung Jesu sprach, und zwar als eigene aktive sinnliche Wahrnehmung. Der Apostel behauptet somit eine visuelle Seite der 1 Kor 15,8 erwähnten Erscheinung. 1 Kor 9,1 ist dann von einer aktiven Wahrnehmung Jesu die Rede, deren Voraussetzung die in 1 Kor 15,8 ausgesprochene Erscheinung ist. Paulus denkt hier

---

daß damit ein göttlicher Ursprung nicht aus- aber auch nicht eingeschlossen wird. Theologische Schemata einer "übernatürlichen, außernatürlichen, natürlichen Vision" oder Begriffe wie visio corporalis, spiritualis, intellectualis sind m. E. künstlich und bewußt beseite gelassen. Zur Literatur sei hingewiesen auf *K. Rahner*, Visionen und Prophezeiungen (QD IV) Freiburg 1958; *E. Benz*, Die Vision, Stuttgart 1969; *P. Dinzelbacher*: Vision und Visionsliteratur im Mittelalter, Stuttgart 1981 (der Vf. betont m. R. die zeitspezifische Form der Vision im Mittelalter, ohne die Berechtigung zu bestreiten, das Grundphänomen Vision durch alle Jahrhunderte hindurch zu behandeln). Besonders lehrreich war mir *Johannes Müller*, Über die phantastischen Gesichtserscheinungen, Koblenz 1826 (=1927); *P. Simon*, Zur Phänomenologie der religiösen Imaginationen, med. Diss., Göttingen 1979.

[53] Insofern ist es mehr als mißverständlich, wenn *Lorenz Oberlinner*, Zwischen Kreuz und Parusie. Die eschatologische Qualität des Osterglaubens, in: *ders.* (Hrsg.), Auferstehung Jesu - Auferstehung der Christen. Deutungen des Osterglaubens (QD 105) Freiburg 1986, 63-95, hier 70f, schreibt: "Die Tatsache, daß mit der wohl ältesten Bezeichnung für die Ostererfahrung mit *ophthe* ("er erschien") bereits eine 'theologische' Deutung des zugrundeliegenden Geschehens gegeben ist, macht es unmöglich, dieses 'Sehen' nach dem konkreten Wie zu befragen und für die Rekonstruktion des historischen Vorgangs auswerten zu wollen ... Als der 'Auferweckte' begegnet Jesus dem Petrus und den Jüngern nicht eigentlich in der 'Erscheinung', sondern in der glaubenden Deutung der hier gemachten Erfahrung".

offensichtlich an ein Sehen Jesu in seiner verwandelten Auferstehungsleiblichkeit.

Gal 1,15f beschreibt Paulus denselben Vorgang damit, daß Gott in bzw. an ihm seinen Sohn geoffenbart habe. Da der Vers im Rahmen einer Erzählung über seine vor- und frühchristliche Zeit steht, bezieht er sich aller Wahrscheinlichkeit auf ein bestimmtes Ereignis. V. 12 stellt in Verbindung mit V. 16 klar, daß es sich bei dem Inhalt des Geschehens um eine Offenbarung handelte, deren Gegenstand oder Urheber Christus war. Ebenfalls paßt das Motiv der Offenbarung zum Sehen in 1 Kor 9,1 und zu seiner Voraussetzung, der Erscheinung 1 Kor 15,8.

Phil 3,8 kommt Paulus noch einmal auf das Damaskusgeschehen zu sprechen: Die Erkenntnis (= Schau) Christi habe ihn dazu geführt, sein bisheriges Leben für Dreck zu halten.

Schließlich ist 2 Kor 4,6 möglicher Reflex des Damaskusgeschehens. Paulus schreibt hier: "Denn Gott, der sprach: Licht soll aus der Finsternis hervorleuchten, der hat einen hellen Schein in unsere Herzen gegeben, daß durch uns entstünde die Erleuchtung zur Erkenntnis der Herrlichkeit Gottes in dem Angesicht Jesu Christi." In diesem Fall wäre wahrscheinlich, daß Paulus bei seiner Bekehrung Christus in einer Lichtgestalt gesehen hätte, was zu den Ausführungen über den himmlischen Menschen (1 Kor 15,49) paßt. Darüber hinaus würde Paulus seine Schau Christi mit der Lichtwerdung am Schöpfungsmorgen parallelisieren, um auszudrücken, was ihm vor Damaskus widerfuhr[54].

Da nun Paulus in 1 Kor 15,8 - wie gesagt - in bezug auf sich dasselbe Verb gebraucht wie von allen Personen, denen Jesus erschienen ist, ist es eine gut begründete Annahme, daß die anderen in 1 Kor 15 genannten Personen ähnlich wie Paulus im Rahmen ihres eigenen Weltbildes Jesus in seiner Herrlichkeit gesehen haben.

Das heißt dann aber, in Einzel- und Gruppenvisionen[55] wurde der

---

[54] Zur Damaskuserscheinung als Lichtphänomen vgl. noch Apg 9,3f und auch *Pannenberg*, Christologie (s. Anm. 25) 89, der allerdings 2 Kor 4,6 nicht mit der Bekehrung des Paulus verknüpft.

[55] Die wichtigste ist die vor den "mehr als 500" (1 Kor 15,6), deren Identität mit dem Pfingstereignis (Apg 2) ich im Anschluß an ältere Arbeiten zu zeigen mich bemüht habe (*Lüdemann*, Auferstehung [s. Anm. 1] 116-124). A. *Lindemann* (Rezension zu *Lüdemann*, Auferstehung, in: Wege zum Menschen 1994, dessen Manuskript mir der Vf. freundlicherweise im voraus zugänglich machte) moniert bei diesem Identifikationsversuch, daß ich "die an einigen Stellen bei Paulus (!) zu findende partielle

hingerichtete Jesus als Lebender sichtbar, mit göttlicher Machtfülle und himmlischem Glanz ausgestattet.

Für viele Zeitgenossen dürfte es Unbehagen bereiten, daß ausgerechnet Visionen am Anfang des christlichen Glaubens stehen. "Falls wir 'Visionen' nicht einfach zu einer Spielart der Halluzination erklären, bleib[en] sie ... in jedem Fall dem Bereich dessen verhaftet, was wir selbst hervorbringen, was letztlich keinen Anhalt an der objektiven Wirklichkeit hat und erweist sich derart als sehr schwankender Boden."[56] Diese Empfindung betrifft nicht allein uns. Keiner der neutestamentlichen Evangelisten (ich lasse Mk einmal beiseite) war darüber glücklich. Jeder von ihnen hätte sich bestimmt einen weniger fragwürdigen Anfang des Glaubens gewünscht, dessen magisch-dämonologische Interpretation sich nahelegen würde, falls Visionen am Anfang standen[57]. Daher betonen Lk und Joh (aber auch der Bischof Ignatius) *im Gegenzug* die Fleischlichkeit der Erscheinungen[58] und Mt bringt mit 28,20 zum Ausdruck, daß hier kein Totengeist, sondern der Weltherrscher spricht[59].

Nun hat bereits der erste antike Kritiker des Christentums, Celsus, sich über Maria Magdalena lustig gemacht und ihr Sehen Jesu nach dessen Tod darauf zurückgeführt, "daß einer vielleicht die Anlage zu solchen Träumen in sich trug, oder, ein Opfer irrgeleiteter Phantasie, sich nach Belieben ein solches Trugbild schuf ..., wie dies schon Tausenden begegnet ist"[60]. Und Lukrez berichtete von Bildern im Traume und bei Krankheit, "so daß wir

---

Identität von Geist und Christus (Röm 8,9; vgl. 2 Kor 3,17) ins Feld (sc. führe) ... - man könnte dies Verfahren fast als 'biblizistisch' bezeichnen." Ich verstehe diesen Einwand nicht, denn Paulus repräsentiert mit seiner Geist- und Christusanschauung auch eine vorpaulinische Gemeinde mit Wurzeln in der Urgemeinde.

[56] *S. Vollenweider*, Ostern - der denkwürdige Ausgang einer Krisenerfahrung, in: ThZ 49 (1993) 34-53, hier 39.

[57] Hingewiesen sei auf *H. D. Betz*, Zum Problem der Auferstehung Jesu im Lichte der griechischen magischen Papyri, in: *ders.*, Hellenismus und Urchristentum. Gesammelte Aufsätze I, Tübingen 1990, 230-261.

[58] *Vollenweider*, Ostern (s. Anm. 56) 39. *Lindemann*s (Rezension [s. Anm. 55]) Behauptung, "keiner der urchristlichen Texte interpretiert Jesu Auferweckung als 'Wiederbelebung des Leichnams'", ist m. E. ein apologetisches Ausweichmanöver, bei dem sofort auf die Ungleichartigkeit zu der Erweckung des Lazarus (Joh 11) hingewiesen wird. Aber die Vorstellung einer Wiederbelebung des Leichnams ist bei den oben im Text genannten urchristlichen Zeugen doch *vorausgesetzt!*

[59] Vgl. *Lüdemann*, Auferstehung (s. Anm. 1) 149-153.

[60] *Origenes*, Gegen Celsus II 60.

die zu uns reden und zu hören glauben, die schon dahingegangen sind und deren Gebeine die Erde umfängt. "[61]

Die Frage stellt sich also unerbittlich: Haben die Jünger und Jüngerinnen die "Osterereignisse" selbst produziert? Falls ja: aus welchen Gründen? Und weiter: Gibt es überhaupt ausreichend Quellenmaterial über die innere Lage der Jünger zwischen Karfreitag und Ostern? *Antwort:* Wir wissen aus den Quellen beim ersten Blick fast gar nichts darüber, doch heißt das nicht, daß wir per Rekonstruktion nicht gute Gründe dafür anführen können, daß dies und das in ihrem Inneren geschehen sein dürfte. Der Historiker liest ebenso wie der Psychoanalytiker im Rahmen einer Hermeneutik des Verdachts[62] Texte auch gegen den Strich, um hinter die eigentliche Geschichte zu kommen[63]. Das hat mit mangelndem Respekt gegenüber dem Text nichts zu tun, sondern ist Ausdruck des Interesses an der uns *fremden* Geschichte.

Die Annahme, daß Jesu Hinrichtung im Jüngerkreis eine Krise auslöste, ist gut begründbar, um so mehr, als die Jünger sich nach dem Karfreitag fluchtartig nach Galiläa zurückgezogen haben[64].

In Galiläa hat Petrus als erster Jesus lebendig gesehen (vgl. 1 Kor 15,5; Lk 24,34; Mt 16,17-19; Lk 5,1-11; Joh 21,1-14). Einzelheiten dieses als Vision zu bezeichnenden Ereignisses sind nicht mit einer ebenso großen Wahrscheinlichkeit zu erhellen wie bei Paulus, da es sich bei allen genannten Texten um Fremdberichte handelt, die überdies schon sekundäre Züge tragen. Doch wird man nicht fehlgehen, auch die Petrusvision für ein unvorhergesehenes, plötzliches Geschehen zu halten. Mit diesen Aussagen setze ich mich von dem Versuch Edward Schillebeeckx' ab, den Oster-

---

[61] *Lukrez*, Über die Natur der Dinge 1, 134f.

[62] Man vgl. dazu *P. Ricoeur*, Die Interpretation. Ein Versuch über Freud, Frankfurt 1969, 33-70.

[63] Ein solches Vorgehen ist darin begründet, daß Menschen die Texte geschrieben haben.

[64] Vgl. *Vollenweider*, Ostern (s. Anm. 56) 40. Hingewiesen sei ferner auf die wichtigen Ausführungen von *C. Colpe*, Das Siegel der Propheten. Historische Beziehungen zwischen Judentum, Judenchristentum und frühem Islam, ANTZ 3, Berlin 1990, 60f (dort auch zum Verhältnis des durch Jesu Tod verursachten Schocks zur Deutung der Visionen aus biblisch-jüdischer Tradition), auf dessen Werk ich leider zu spät aufmerksam wurde.

glauben den Erscheinungen zeitlich vorzuordnen[65]. Diese Erscheinung vor Kephas ist nicht bereits eine "Interpretation des Auferstehungsglaubens"[66], sondern ein *Primär*phänomen, das den Glauben an Jesu Auferstehung erst ermöglicht hat. Es verhält sich also genau umgekehrt wie bei Edward Schillebeeckx[67].

Dieses Sehen Jesu steht m. E. in einer unauflösbaren Beziehung zur Verleugnung Jesu, d. h. in der Vision wird Petri Schuldgefühl durch die Gnadengewißheit abgelöst. Ein Reflex dieses Umschlags findet sich in Lk 5,8, und ebenso wird in Joh 21,15-19 die Verbindung von Verleugnung und Ostererfahrung hergestellt[68].

Der für mich erstaunliche Sachverhalt besteht nun darin, daß die paulinische Ostererfahrung - ebenso wie die des Petrus eine Originaloffenbarung - ähnlich wie die petrinische strukturiert ist. Um das aufzuzeigen, sei ein wenig ausgeholt[69].

---

[65] *E. Schillebeeckx*, Jesus (s. Anm. 34) 351. Gerade wenn man mit Schillebeeckx der Meinung ist, es müsse *etwas* geschehen sein, um den Übergang von den sich fürchtenden Jüngern zu ihrer späteren Osterpredigt verständlich zu machen (336), empfiehlt sich der Einsatz bei der Erscheinung vor Kephas, da diese im frühchristlichen Kerygma durchweg als *Erst*erscheinung angesehen wurde (1 Kor 15,5; Lk 24,34), und nicht bei den Jüngern, da ihre Erfahrungen wahrscheinlich bereits von der des Kephas geprägt worden sind. Seine Vision dürfte förmlich ansteckend gewirkt haben. *Pannenberg*, Auferstehung (s. Anm. 32) beruft sich gegen diese These darauf, daß bei allen Ostererscheinungen "die Initiative vom erhöhten Herrn selbst ausging" (vgl. 1 Kor 15, 3ff). Gälte fortan ein solcher methodischer Ansatz, wären in der Geschichte der Menschheit unzählige Erhöhte, Auferstandene und Vergöttlichte anderen Personen wirklich erschienen und wir müßten der Aufklärung konsequenterweise den Abschied geben.

[66] *Schillebeeckx*, Jesus (s. Anm. 34) 348.

[67] Seinen historischen Zugang zur Auferstehungsfrage kann ich aber nur bejahen. Demgegenüber ist sein Buch: Die Auferstehung Jesu als Grund der Erlösung (QD 78) Freiburg 1979, unergiebig. Das Werk trägt m. E. einen falschen Titel. Ein ähnlicher Ansatz wie bei Edward Schillebeeckx findet offenbar auch bei *Don Cupitt*, Christ and the Hiddeness of God, London 1985, 261 Anm. 679).

[68] Vgl. *Lüdemann*, Auferstehung (s. Anm. 1) 99-111. Ergänzend sei hier auf eine Stelle aus *Aphrahat*, Unterweisungen. Erster Teilband, Fontes Christiani 5/1, Freiburg 1991, 224f, hingewiesen: "Auch als Simon, Haupt der Jünger, Christus verleugnet hatte: 'Er hat mich nie gesehen' und fluchte und schwor: 'Ich kenne ihn nicht' (Mk 14,71), und als ihn Reue überkam und er viele Tränen vergoß (Mk 14,72), da nahm unser Herr ihn auf und machte ihn zum Fundament und nannte ihn Fels, Bauwerk der Kirche (vgl. Mt 16,18)." Interessant an dieser Stelle ist, daß hier Mt 16,18 als Ostergeschichte angesehen wird. (Ich verdanke den Hinweis auf diese Passage Herrn Dr. Jürgen Wehnert.) Man vgl. ferner den gehaltvollen Aufsatz von *C. P. Bammel*, The First Resurrection Appearance to Peter. John 21 and the Synoptics, in: *A. Denaux* (Hrsg.), John and the Synoptics, BETL CI, Leuven 1992, 620-631.

[69] Im folgenden stütze ich mich z. T. auf meinen Aufsatz "Psychologische Exegese", in: *F. W. Horn* (Hrsg.), Bilanz und Perspektiven des Neuen Testaments, BZNW, Berlin 1994, ohne die Übereinstimmungen im einzelnen anzumerken.

Folgende Feststellungen können über den vorchristlichen Paulus[70] getroffen werden: Paulus war ein in der Schriftauslegung geschulter Diasporajude, ein Pharisäer (Phil 3,5) und als dieser ein Eiferer für das Gesetz (Gal 1,14). Er verfolgte Christen (1 Kor 15,9; Gal 1,13.23; Phil 3,6), wobei diese Aktionen von verbaler Auseinandersetzung bis zur Anwendung von Gewalt wie z. B. der jüdischen Prügelstrafe der 39 Hiebe (2 Kor 11,24) gereicht haben dürften. Im Alter von etwa 30 Jahren nahm sein Leben durch das sogenannte Damaskusereignis eine entscheidende Wende. Von nun an riefen die von ihm angefeindeten Christen in einem Lobpreis Gottes immer wieder aus: "Der uns früher verfolgte, predigt jetzt den Glauben, den er früher zu zerstören suchte" (Gal 1,23). Aus Saulus war Paulus geworden.

Wie dieser Umschlag geschah, ist nach Meinung der Exegeten nicht mehr nachzuzeichnen[71]. Doch mehren sich zunehmend Zweifel gegen diese skeptische Position, die sich bei manchen ihrer Vertreter geradezu mit einer Genugtuung darüber verbindet, *daß* wir über diesen Umschlag nichts mehr wissen können[72].

Die Entscheidung fällt an Röm 7. Meine These lautet: Röm 7 ist im Rückblick formuliert und zeichnet den unbewußten Konflikt, den Paulus vor seiner Bekehrung ausgetragen hat.

Doch steht dem eine moderne Auslegungstradition entgegen, nach der Röm 7 nicht für die Biographie des Paulus herangezogen werden dürfe, weil Phil 3,6 ein völlig gefestigtes Selbstvertrauen des vorchristlichen Paulus ausdrücke. Martin Hengel schreibt mit Bezug auf Phil 3,6 sogar: "So spricht keiner, der von Depressionen heimgesucht wurde."[73] Auch manche gerade publizierten Kritiken meines Buches weisen einhellig auf den Widerspruch zwischen Röm 7 und Phil 3 hin. So spricht Wolfhart Pannenberg von "der Problematik einer biographischen Deutung von Röm 7" und davon,

---

[70] Grundlage aller künftigen Arbeiten über den vorchristlichen Paulus ist *M. Hengel*, Der vorchristliche Paulus, in: *ders.*, *U. Heckel* (Hrsg.), Paulus und das antike Judentum, WUNT 58, Tübingen 1991, 177-291.

[71] Man vgl. die ähnliche These oben S. 18, daß ein Zugang zu den Erfahrungen der frühen Christen nicht mehr möglich sei.

[72] Man vgl. selbst *Hengel*, Paulus (s. Anm. 70) 284: Wir wüßten zu wenig, um hier die heute allgegenwärtige psychologische Sonde anzusetzen, und das sei gut so.

[73] *Hengel*, Paulus (s. Anm. 70) 283.

daß dieses Kapitel des Römerbriefes in einem eklatanten Gegensatz "zu dem stolzen Wort des Apostels über seine Gesetzeserfüllung Phil 3,6" stehe[74]. Nach Andreas Lindemann läuft meine Exegese "auf die Behauptung hinaus, Paulus stelle Phil 3,6 seine Vergangenheit mit Blick auf den aktuellen Konflikt in Philippi absichtlich falsch dar, was ja denkbar sein könnte, wofür wir aber keine konkreten historischen Argumente besitzen."[75]

Die wichtigste Frage wird sein, ob nicht doch Röm 7 das entscheidende Argument dafür liefert, daß Paulus in Phil 3 nicht die ganze Wahrheit gesagt hat, ohne daß man ihm mit Lindemann sofort eine Täuschung unterstellen müßte (s. dazu weiter unten).

Analyse von Röm 7,7-25[76]

Zum Aufbau:
Auffällig ist zunächst ein Tempuswechsel, der mit V. 14 einsetzt. Argumentieren V. 7-13 in der Vergangenheit, so gebraucht Paulus in V. 14-25 die Gegenwartsform. Schon äußerlich sind diese beiden Blöcke voneinander getrennt.

Zusätzlich ist zu bemerken, daß V. 13 zum Argumentationsgang von V. 7-12 nichts Wesentliches beiträgt. Denn schon V. 12 ("Daher ist das Gesetz heilig und das Gebot heilig und gerecht und gut") beantwortet die in V. 7 gestellte Frage ("Ist das Gesetz Sünde?"). Der dazwischenliegende Abschnitt (V. 8-11) bildet eine Ringkomposition (vgl. *aphormen labousa* in V. 8 und V. 11), die

---

[74] *Pannenberg*, Auferstehung (s. Anm. 32).

[75] *Lindemann*, Rezension (s. Anm. 55).

[76] Die einschlägige exegetische Literatur ist an dieser Stelle nicht eigens nachgewiesen. Für die psychoanalytische Interpretation von Röm 7 sei neben G. *Theißen*, Psychologische Aspekte paulinischer Theologie, FRLANT 131, 1983 noch verwiesen auf A. *Vergote*, Der Beitrag der Psychoanalyse zur Exegese. Leben, Gesetz und Ich-Spaltung im 7. Kapitel des Römerbriefs, in: X. *Léon-Dufour* (Hrsg.), Exegese im Methodenkonflikt. Zwischen Geschichte und Struktur, 1973, 73-116. Freilich will sich Vergote anders als die vorliegende Studie "nicht auf eine Untersuchung der Psyche Pauli einlassen, um von dorther den Sinn seiner Schriften zu erhellen" (81). Vergote bemerkt weiter: "Die Psychoanalyse der Person des Paulus interessiert uns in keiner Weise - wohl aber die Blickrichtung des Briefes auf das Sein des Christen hinsichtlich der allgemeinen Gesetzlichkeit seines Werdens" (84). Aber muß sich beides denn ausschließen? Eine Psychoanalyse der Person des Paulus, wenn sie denn geleistet werden kann, ist eine Radikalisierung der historischen Frage, auch wenn sie sich von gewissen Seiten dann sofort den Vorwurf des Imperialismus, des geistigen Terrors oder des psychoanalytischen Wildwuchses gefallen lassen muß.

die Thematik Gesetz und Sünde diskutiert, wobei V. 11 die in V. 8 gemachte Aussage verstärkt. Hieß es dort noch: "Die Sünde nahm durch das Gebot ihre Gelegenheit wahr und weckte in mir jede Begierde", so hier unter gleichzeitiger Aufnahme von V. 10a ("ich aber starb"): "Die Sünde nahm durch das Gebot ihre Gelegenheit wahr, betrog mich und tötete mich durch das Gebot". V. 12 bildet demnach die Schlußfolgerung aus dem V. 8-11 geschehenen Gedankenfortschritt. Er gibt eine negative Antwort auf die eingangs in V. 7 aufgeworfene Frage.

So ist der anschließende V. 13 zum Verständnis der vorhergehenden Argumentation nicht mehr notwendig. Zwar schließt V. 13 unmittelbar an V. 12 an: *agathon* (vgl. *agathou*) nimmt *agathe* (V. 12 Ende) auf, und *thanatos* bezieht sich auf *apekteinen* in V. 12. Doch stellt V. 13 einen neuen Gedanken zur Diskussion, der ähnlich wie derjenige in V. 7 eingeführt (*me genoito*), aber nicht so breit ausgeführt wird wie die Komposition V. 7-12. V. 13 erweist sich somit als eigenständiges Konstrukt.

Die Analyse hat eine Gliederung von Röm 7,7ff in drei Abschnitte erbracht:

V. 7-12:   Die Urgeschichte des Ich.
V. 13:   Die besondere Sündigkeit der Sünde.
V. 14-25:   Der Konflikt im Ich.

Zur Einzelexegese:
Der Einstieg in V. 7: "Was sollen wir nun sagen?" entspricht dem schon in Röm 6,1 gewählten Beginn. Mit "Du sollst nicht begehren!" zitiert Paulus unter Auslassung eines Objektes das Dekaloggebot Ex 20,17; Dtn 5,21 (vgl. Röm 13,9). Doch sieht Paulus hier "das Dekaloggebot mit dem Verbot in Gen 2,16f und die Geschichte der 'Erkenntnis' der Sünde mit der Geschichte vom Sündenfall in Gen 3 zusammen"[77]. Der Feststellung: "Ich wußte nichts von der Begierde, wenn das Gesetz nicht gesagt hätte: 'Du sollst nicht begehren!'" liegt die psychologische Einsicht zugrunde: "Je mehr ermahnt wird, desto mehr wird die den Ermahnungen widersprechende Tendenz angestachelt."[78]

---

[77] *U. Wilckens*, Der Brief an die Römer (Röm 6-11), EKK VI/2, Zürich 1980, 79.
[78] Vgl. *Theißen*, Aspekte (s. Anm. 76) 225 (mit antiken Belegen).

V. 8: Zur Parenthese "außerhalb des Gesetzes ist die Sünde tot" vgl. Röm 5,13b ("wo kein Gesetz ist, da wird Sünde nicht angerechnet"). Freilich ändert das gar nichts an der faktischen Existenz der Sünde.

V. 9: Schon das Kommen des Gesetzes führt zum Wiederaufleben der Sünde. D. h., nicht nur die Mißachtung des Gebotes, sondern seine Gegenwart ist bedrohlich.

V. 10: entole ist Hinweis auf das konkrete Paradiesesgebot an Adam. Es diente zum Leben (vgl. Röm 10,5; Gal 3,12), zog aber faktisch den Tod nach sich. Den Grund dafür liefert

V. 11: Die Sünde erreichte dies durch Betrug.

V. 12: Deswegen sind die Heiligkeit des Gesetzes (= Sinaithora) und die Heiligkeit, Gerechtigkeit und Gutheit des Gebotes (= Paradiesesgebot an Adam) sichergestellt.

V. 13 behandelt die Frage, ob das Gesetz, das selbst als gut erwiesen ist, die Menschen dennoch vernichtet. Vielleicht kann man die Argumentation in V. 13 als verunglückt bezeichnen. Denn welchen Sinn macht es zu antworten: "damit die Sünde über alle Maßen sündig würde"[79]?

Freilich ist die Absicht hinter V. 13 unverkennbar: Wenn etwas eigentlich Gutes den Tod bewirkt, dann widerspricht es nicht nur der Absicht des Guten, sondern es begibt sich zu ihm auch noch in einen totalen Gegensatz.

Mit V. 14 beginnt der dritte Abschnitt:

V. 14: "das Gesetz ist geistlich" erinnert an die Aussagen von V. 12; "unter die Sünde verkauft" wurde in V. 7-12 und V. 13 begründet.

V. 15 expliziert, warum das Ich unter die Macht der Sünde verkauft ist: V. 15b erklärt V. 15a und radikalisiert so den Konflikt zwischen Wollen und (wirklichem) Tun, für den in der Antike Medea das Modell ist[80].

V. 16: ou thelo ist identisch mit *miso.* Der in V. 15 aufgewiesene Konflikt belegt, daß die in dem Ich nicht zum Zuge kommende Seite dem Gesetz bescheinigt, daß es gut sei. "Gut" als Bezeichnung des Gesetzes nimmt "geistlich" (V. 14) und allgemein V. 12 auf.

---

[79] Doch man vgl. immerhin Ez 20,25: "Darum gab ich (= Jahwe) ihnen Gebote, die nicht gut waren, und Gesetze, durch die sie kein Leben hatten".

[80] Zur Traditionsanalyse der Sentenz Röm 7,15b vgl. *Theißen,* Aspekte (s. Anm. 76) 213-223.

V. 17: auto bezieht sich auf *ho* (V. 16) und (zweimaliges) *touto* (V. 15) zurück. Der Vers nennt positiv diejenige Macht, welche die Handlungen der Menschen bestimmt: die Sünde. *katergazomai* bezieht sich auf dasselbe Verb V. 15 zurück.
V. 18 ist eine Art Resümee von V. 15-17. Der Anfang ist vielleicht V. 14 Anfang nachgebildet. Wichtig ist, daß erstmalig zwischen *ego* und *sarx* begrifflich unterschieden wird. Da V. 18 ein Resümee ist, überrascht es nicht, daß
V. 19 in etwa V. 15b wiederholt[81] bzw. weiterführt und
V. 20 die Verse 16 und 17 wiedergibt unter Auslassung von "so gebe ich zu, daß das Gesetz gut ist".
V. 21 erläutert den behandelten Konflikt durch die Einführung eines doppelten Nomosbegriffes, wobei *nomos* in V. 21 sicherlich nicht Thora meint.
V. 22 greift auf V. 16 zurück,
V. 23 auf V. 17.
V. 24 ist eine Klage, die
V. 25 vom Dank an Gott abgelöst wird; der Grund des Dankes wird in Kap. 8 expliziert.

Das Ich in Röm 7:
V. 7-12: Es fällt auf, daß der Abschnitt nicht spezifizierend von Gesetzen, Sünden usw. spricht, sondern von der Begegnung "des" Gesetzes mit "dem" Ich und dem Aufleben "der" Sünde. Paulus erzählt also die Urgeschichte des Ich in starker Verallgemeinerung, wobei dies einen biographischen Bezug nicht notwendig ausschließt. Sicher ist vorerst nur, daß Paulus nicht über den Konflikt im christlichen Ich spricht, weil hiergegen die Aussagen in Röm 8 stehen, wo das Leben im Geist beschrieben wird (vgl. besonders V. 12-14). Daher wird allgemein angenommen, in V. 7-12 sei das unter dem Gesetz stehende Ich gemeint, und zwar so, wie es für das Auge des vom Gesetz Befreiten sichtbar geworden ist[82]. Gegen die Annahme eines unbewußten Konflikts wird V. 7 ins Feld geführt mit seiner Aussage: "Die Sünde erkannte ich nicht außer durchs Gesetz". Wie soll da ein unbewußter Konflikt vorliegen, wenn das

---

[81] Man vgl. "Denn ich tue nicht, was ich will; sondern was ich hasse, das tue ich" (V. 15b) mit: "Denn das Gute, das ich will, das tue ich nicht; sondern das Böse, das ich nicht will, das tue ich."
[82] Man vgl. z. B. *H. Conzelmann*, Grundriß der Theologie des Neuen Testaments, UTB 1446, Tübingen ⁴1987, 255-262.

Gesetz Sünde *bewußt* macht? Doch ist demgegenüber die entscheidende Frage, *wann* die Bewußtmachung einsetzt. Der genannte Satz ist ja lehrhaft im Rückblick formuliert, und die Erzählung der Urgeschichte des Ich (V. 8-11) enthält keine kognitiven Elemente. D. h., die Annahme eines unbewußten Konflikts und damit ein biographischer Anteil des Paulus hinter V. 8-11 bleibt eine Möglichkeit. V. 13 deutet die Bewußtmachung der Sünde an[83]. Die eigentliche Entscheidung fällt in V. 14-25: Der hier vorliegende Konflikt umgreift das Bewußtsein *und* das Unbewußte[84]. *Einerseits* ist der Zwiespalt zwischen Wollen und Tun ein ethischer Konflikt, der im Bewußtsein des Menschen stattfindet. *Andererseits* liegt der Konflikt tiefer als das Bewußtsein und ist im Unbewußten anzusiedeln, denn das "bewirken" (V. 15) bezieht sich ja nicht allein auf die empirische Tat der Übertretung, sondern vor allem auf das Ergebnis des Tuns, den Tod. (Erst in der Weiterführung von V. 15 durch V. 19 wird daraus ein ethisch-moralischer Konflikt.) Und das Ich weiß (im Bewußtsein) gar nichts davon.

Bezüglich des Verhältnisses des unbewußten und bewußten Konflikts V. 14-25 ist zu beobachten, daß die Richtung des Textes in eine immer schärfere Bewußtwerdung des Konflikts geht. Das Ich von V. 21ff durchschaut seine Gespaltenheit, und auch gegenüber V. 7-12 ist hinsichtlich der Bewußtwerdung des Konflikts eine größere Einsicht zu erkennen. Das Ich wurde lt. V. 11 getäuscht, in V. 21ff erkennt es diese Täuschung, obwohl es sich nicht befreien kann. Als es aber befreit wurde, setzte im Rückblick die Erkenntnis des Konflikts ein, der nach Röm 7 ein Konflikt mit dem jüdischen Gesetz war.

Es geht also nicht darum, "daß Paulus vor dem Damaskusereignis in seiner Zerrissenheit das Gesetz einerseits bejaht, andererseits unter ihm gelitten und daß dieser qualvolle Seelenzustand ihn für

---

[83] Man vgl. zum Obigen *Theißen*, Aspekte (s. Anm. 76) 232f.

[84] Die folgenden Überlegungen machen die Kontroverse zwischen *Rudolf Bultmann* (Römer 7 und die Anthropologie des Paulus [1932] = *ders.*, Exegetica, Tübingen 1967, 198-209) und *Paul Althaus* (Paulus und Luther über den Menschen, Gütersloh 1938 [⁴1963]) für die Frage eines bewußten bzw. unbewußten Konflits in der Biographie des Paulus hinter Römer 7 fruchtbar. Althaus sah den Zwiespalt als Konflikt zwischen Wollen und Handeln, Bultmann setzt sich von dieser subjektivistischen Anthropologie ab und sieht den Konflikt als transsubjektiv an. Ich setze für transsubjektiv "unbewußt" und sehe in Röm 7 beide Arten von Zwiespalt, einen moralisch-ethischen, also bewußten, und einen unbewußten.

die Damaskusvision disponiert habe."[85] Denn richtig ist: "Vor dem Damaskusereignis wäre eine Besinnung über die Tora wie die von Röm 7 Paulus als Absurdität und Lästerung des Gesetzes erschienen."[86]

Die von der Schulexegese aufgewiesenen Schwierigkeiten entfallen, wenn man in Röm 7 einen unbewußten Konflikt voraussetzt, den Paulus zum Zeitpunkt, da er ihm *unbewußt* war, natürlich nicht thematisieren konnte, und seine Bewußtmachung mit dem Zeitpunkt der Bekehrungsvision verbindet. Dann hat Paulus in Phil 3,6 die ihm vor der Bekehrung eigene, bewußte Einstellung nicht absichtlich falsch, sondern zutreffend wiedergegeben, wozu der in Röm 7 geschilderte Zwiespalt nur dann im Widerspruch steht, wenn man ihn auch im Bewußtsein ansiedelt. Setzen wir aber die Unterscheidung von Bewußtsein und Unbewußtem als grundlegendes anthropologisches Modell voraus[87], so bestätigt sich die oben (S. 33) geäußerte These: Röm 7 ist Reflex des unbewußten Konflikts, den Paulus vor der Damaskusvision mit dem jüdischen Gesetz ausgetragen hat[88].

Damit kommen wir zu einem zweiten Punkt: Führen wir das Gedankenexperiment durch, man hätte Paulus vor der Damaskusvision analysieren können, so dürfte die Analyse in seinem Unbewußten eine starke Strömung zu Christus hin gezeigt haben, ja, die Annahme seiner unbewußten Christlichkeit[89] liegt dann nicht so fern[90]. Die vehement ablehnende aggressive Haltung des Paulus gegen die Christen, sein Eifer, mag damit zusammenhängen, daß die Grundelemente der christlichen Predigt und Praxis ihn unbewußt angezogen haben. Jedoch aus Angst vor seinen unbewußten Strebungen hat er diese auf die Christen projiziert, um sie dort um so ungestümer attackieren zu können. Mit der Vision Christi ergab

---

[85] C. *Dietzfelbinger*, Die Berufung des Paulus als Ursprung seiner Theologie, WMANT 58, Neukirchen/Vluyn 1985, 87.

[86] Ebd.

[87] Der königliche Weg zum Unbewußten ist seit *Sigmund Freud*, Die Traumdeutung, Leipzig 1900, der Traum; vgl. meine Arbeit: Texte und Träume, BensH 71, Göttingen 1992, 25-31 (Lit.).

[88] Eine moderne Entsprechung ist es, wenn im Laufe einer psychoanalytischen Behandlung dem Patienten *im Rückblick* die eigentlichen Konflikte bewußt werden, die sein Leiden verursacht haben.

[89] C. G. *Jung*, Die psychologischen Grundlagen des Geisterglaubens (1919), in: *ders.*, Die Dynamik des Unbewußten, Ges. Werke VIII, Zürich 1967, 339-360, hier 348f.

[90] Anders *Theißen*, Aspekte (s. Anm. 76) 238: "Wir gestehen, über die unbewußte Christlichkeit des vorchristlichen Paulus nichts aussagen zu können."

sich für Paulus eine Umschichtung. Der mit der Verfolgung der Gemeinde aufgestaute Schuldkomplex wurde durch die Gewißheit, in Christus zu sein, abgelöst. Indem er in Christus förmlich hineinstürzt, ist er ein für allemal dem Unheilszusammenhang zwischen Tod, Gesetz und Sünde (vgl. auch 1 Kor 15,56) entnommen, steht im Leben, zu dem das Gesetz ursprünglich führen sollte (Röm 7,10), erleuchtet von der Ewigkeit, erwärmt von dem Widerfahrnis der Liebe Gottes. Die alles durchdringende Kälte seiner Gesetzesobservanz wurde durch Christus ein für allemal getilgt. Das war aber nur deswegen möglich, weil das, was er unbewußt ersehnt hatte, in einem anderen Menschen Realität geworden war. Denn Pauli Christusideal, erst durch die Predigt der von ihm Verfolgten aktuell zum Durchbruch gebracht, hatte eine Entsprechung im Wirken Jesu. Sein "Liebesevangelium" hatte unter den von Paulus Verfolgten zu einer praktischen Außerkraftsetzung der Thora geführt. (Insofern sind Gesetzesproblematik und Christologie des Paulus eng miteinander verzahnt.) Seinen Umschlag vom Verfolger zum Prediger dürfte Paulus somit als Erfahrung des Lebens und damit als Erfahrung der Ewigkeit sowie als Befreiung von Gesetz und Sünde verstanden haben (vgl. Röm 7,10.23f; 1 Kor 15,56). Es wird dabei kaum zu entscheiden sein, ob Paulus das in dieser Form unmittelbar nach Damaskus hätte sagen können. Er hat wie andere Visionäre auch über seine Vision nachgedacht. Doch dürfte der zeitliche Abstand zwischen dem Damaskusereignis und der theologischen Ausdeutung der Vision nicht allzu groß sein.

Petri und Pauli Ostervision: Übereinstimmungen

Erstens erfahren sowohl Petrus als auch Paulus eine originale Offenbarung, während alle anderen Osteroffenbarungen abhängige Offenbarungen sind. Die Schau Christi durch Petrus hat alle anderen Schauungen des Erhöhten im Jüngerkreis geprägt, mit Ausnahme der Vision des Paulus, dem ja weder Jesus noch Petrus in seiner vorchristlichen Zeit bekannt gewesen waren.

Zweitens steht bei beiden die Vision Jesu in einer unauflösbaren Beziehung zur Verleugnung Jesu bzw. zur Verfolgung seiner Gemeinde.

Drittens wird bei beiden das Schuldgefühl durch die Gnadengewißheit abgelöst.

Viertens dürften beide eine ähnliche, wenn nicht übereinstimmende Rechtfertigungslehre vertreten haben. Nach Gal 2,15f hat Paulus Petrus in Antiochien wie folgt angeredet: "Wir sind von Geburt Juden ... weil wir wissen, daß der Mensch durch Werke des Gesetzes nicht gerecht wird, sondern durch Glauben an Jesus Christus, sind auch wir zum Glauben an Jesus Christus gekommen ...". Gewiß ist in Gal 2,15-21 nicht die damals in Antiochien gehaltene Rede des Paulus enthalten, denn der Apostel formuliert hier in einer für ihn typischen Terminologie im Blick auf die gegenwärtigen Auseinandersetzungen in Galatien. Doch bleibt sein Hinweis auf die Übereinstimmung in der Rechtfertigungslehre zu beachten (V. 16).

Die Ostererfahrung des Petrus:

Sie ist gewirkt durch Jesus allein. Er hatte seinen Jüngern die Botschaft von der grenzenlosen Gnade Gottes förmlich vorgelebt - in Wort und Tat. Der Mensch hat gegenüber Gott nichts vorzuweisen (vgl. Lk 18,10-14). Den Armen (Mt 11,5) und Ausgestoßenen gilt das Wort vom Heil (Mt 21,28-31; Lk 15,4-10; Lk 15,11-32)[91]. Im Zentrum der Botschaft Jesu steht das Reich Gottes, das sich mit ihm zu ereignen begann[92] - ganz wie von selbst. Die Gottesherrschaft bricht wortwörtlich in die Gegenwart ein[93], so daß sich fortan alles Leben im Angesicht Gottes vollzieht. Jesus spricht zu Gott als liebem Vater[94], und seine Rede vom Glauben, die den alttestamentlichen Begriff der "Treue Gottes" voraussetzt[95], schließt die unbedingte Gewißheit ein, daß Glaube nicht mehr nur vagabundierende Sehnsucht ist, sondern auf Gott beruht (vgl.

---

[91] Ausdrücklich sei betont, daß das Folgende natürlich eine Jesus-Deutung voraussetzt, die im einzelnen aber noch zu explizieren wäre. Die nachfolgenden Bemerkungen zu Jesus sind quasi von hinten her gewonnen, d. h. von den Erfahrungen der Jünger her.

[92] Vgl. *H. Stegemann*, Die Essener, Qumran, Johannes der Täufer und Jesus, Freiburg ⁴1994, 316-330.

[93] Vgl. *K.-H. Ohlig*, Fundamentalchristologie. Im Spannungsfeld von Christentum und Kultur, München 1986, 60.

[94] Vgl. *Schillebeeckx*, Jesus (s. Anm. 34) 227-238.

[95] Der griechische Stamm *pist-* entspricht dem hebräischen Stamm *'mn*. Vgl. zu den Einzelheiten und zu den theologischen Konsequenzen *G. Ebeling*, Jesus und Glaube (1958), in: *ders.*, Wort und Glaube, Tübingen ²1962, 203-254.

Jes 7,9)[96]. In Jesus geht die Tür Gottes himmelweit auf, zu einer bestimmten Zeit, an einem besonderen Ort, in einem konkreten Menschen. Dort, wo wie hier die Gnade in ihrer einladenden Macht geschaut ist, wird auch der Gedanke der Vergebung in einer unaufdringlichen Eindeutigkeit verstanden. Petrus hatte sich an Jesus durch die Verleugnung vergangen bzw. versündigt. Aber als Wirkung von Jesu Verkündigung und Tod kam in Petrus das Dennoch des Glaubens zum Durchbruch. Damit erwies sich der gekreuzigte Jesus als der Lebendige, so daß Petrus das im Wirken Jesu präsente Vergebungswort Gottes noch einmal und diesmal in seiner tiefgründigen Klarheit auf sich beziehen konnte.

Das heißt doch, daß Petrus durch seine Vision im Grunde zu einem besseren Verständnis des Jesus, den er kannte, geführt worden ist. Die Erinnerung daran, wie Jesus war, führte zu einem besseren Verständnis, wie Jesus in der Gegenwart ist. Die Erfahrung von der uneingeschränkten Gnade Gottes, die Petrus im persönlichen Umgang mit Jesus gemacht, aber nur teilweise verstanden hatte, wurde zu Ostern unwiderruflich[97].

Im einzelnen können Parallelen zwischen der Ostererfahrung des Petrus und der Trauerarbeit, wie wir sie aus unserem Jahrhundert kennen, aufgezeigt werden. Daß sich die Situation des Petrus als Trauergeschehen beschreiben läßt, zeigt ein Vergleich mit Berichten von Trauernden, die gelegentlich auch das Element der bildhaften Vergegenwärtigung des verlorenen geliebten Menschen enthalten[98]. Meine Position würde ich jetzt dahingehend vertiefen wollen[99], daß die frühchristliche Ostererfahrung (des Petrus und der Jünger) oder - genauer gesagt - die Oster*theologie* den Tod Jesu nicht beiseite rückt, sondern von Anfang an mit ins Zentrum stellt

---

[96] Tiefenpsychologisch ausgedrückt: Mein tiefster Grund ist nicht mehr die mich verfluchende hyänenartige Mutter oder der mich ins Leben hinauspeitschende Vater, sondern Gott selbst - gut, warm und schön.

[97] Petri Vision beruht einerseits auf einer Störung der Realitätsprüfung, da Jesus tot ist und, gegenständlich vorgestellt, nicht eine objektive Realität ist (es handelt sich also nicht um die korrekte Wahrnehmung extrapsychischer Ereignisse). Andererseits beruht die Vision auf Wirklichkeit, da der vorgestellte Jesus den geschichtlichen Jesus verstehen hilft, und der weist auf Gott hin, den Grund allen Seins. So oder ähnlich würde ich auf die wichtigen Anfragen von Ulrich H. J. Körtner (in seiner Rezension [s. u. Anm. 108]) versuchsweise antworten, jedoch steht die religionsphilosophische Durchdringung meiner historischen Arbeit noch bevor.

[98] Doch will ich darauf hier nicht weiter eingehen, weil es in meinem Buch ja relativ ausführlich dargestellt worden ist.

[99] Und zwar in Anlehnung an *Vollenweider*, Ostern (s. Anm. 56) 42f.

(vgl. 1 Kor 15,3b; Röm 4,25 usw.). Das ist nicht verwunderlich, zeigte sich doch Jesus den Jüngern *sterbend* als der Lebendige[100]. Es kommt *nicht* zu einer einseitigen Restauration der vergangenen Zeit. Die Krisenerfahrung der Jünger entstand demzufolge nicht einseitig regressiv, sondern schlägt auch "in eine ganz ausserordentliche Erfahrung um, eine Bewußtseinserweiterung, worin es zur Wahrnehmung einer sonst verborgenen Dimension der Wirklichkeit kommt"[101]. Mit anderen Worten, die Jünger schauten im Abgrund des Kreuzes Jesu die Herrlichkeit Gottes. Sie erkennen im Kreuz Jesu die Hinnahme des Todes als Lebensakt. Sie nehmen dort eine schlechthin verborgene Ewigkeit, eine schlechthin verborgene Gnade und eine immer gewährende Freiheit wahr, wo der neutrale Beobachter nur den Tod Jesu am Kreuz sieht. Die Gegenwart des Ewigen in Jesu Leben, das der Auferstehung gar nicht bedurfte[102], wird so die Rechtfertigung der Hoffnung auf ein ewiges Leben.

III

Allerdings hat dieses ewige Leben nichts zu tun mit den religiösphantastischen Erwartungen eines Wunderreichs am Ende aller Dinge[103]. Dieser Versuch einer Erneuerung der neutestamentlichen Zukunftserwartungen wäre unsinnig, da sie gescheitert sind.

Das sei kurz und bündig an dem ältesten neutestamentlichen Dokument, dem 1 Thess, aufgewiesen: In 1 Thess 4,13-17[104] äußert sich Paulus wie folgt über seine Zukunftserwartungen: "Denn das sagen wir euch mit einem Wort des Herrn, daß wir, die wir leben

---

[100] Das ist nicht im Sinne einer Selbstbekundung des Auferstandenen mißzuverstehen; so offenbar selbst *Rudolf Bultmann*, in: ThLZ 65 (1940) 242-246 (= Rezension zu *Emanuel Hirsch*, Die Auferstehungsgeschichten und der christliche Glaube, Tübingen 1940). Vgl. dazu meinen Aufsatz: Emanuel Hirsch als Erforscher der frühen Christentums, in: *J. Ringleben* (Hrsg.), Christentumsgeschichte und Wahrheitsbewußtsein. Studien zur Theologie Emanuel Hirschs, TBT 50, Berlin 1991, 15-36, hier 22f.

[101] *Vollenweider*, Ostern (s. Anm. 56) 42.

[102] Vgl. Philippusevangelium 21a: "Diejenigen, die behaupten, daß der Herr zuerst gestorben sei und (dann) auferstanden, irren sich. Denn er erstand zuerst auf und (dann) starb er" (*W. Schneemelcher* [Hrsg.], Neutestamentliche Apokryphen in deutscher Übersetzung I, Tübingen ⁵1987, 157).

[103] Man vgl. zum Folgenden *Emanuel Hirsch*, Hauptfragen christlicher Religionsphilosophie, Berlin 1963, 392-405.

[104] Vgl. *G. Lüdemann*, Paulus, der Heidenapostel, Bd. I: Studien zur Chronologie, FRLANT 123, Göttingen 1980, 213-271.

und übrigbleiben bis zur Ankunft des Herrn, denen nicht zuvorkommen werden, die entschlafen sind" (V. 15). Hernach malt er den kosmisch-dramatischen Vorgang aus: Der Herr kommt unter einem Befehlswort, unter der Stimme eines Erzengels und unter dem Schall der Posaune Gottes vom Himmel, die wenigen Entschlafenen stehen auf und die mehrheitlich Überlebenden, zu denen auch Paulus gehört, werden zusammen mit den Auferweckten dem Herrn entgegen in die Luft entrückt werden.

Wichtig für die Beurteilung des Textes sind die Sätze V. 15: "Wir, die wir übrigbleiben bis zur Ankunft des Herrn"; und V. 17: "Wir, die wir übrigbleiben, werden mit ihnen zusammen ...".

Jahrhundertelang wurden unter dem "Wir" die jeweiligen Leser und Leserinnen des Briefes verstanden, zu deren Lebenszeit die Ankunft des Herrn stattfinden werde. Auch heute lesen nicht wenige fundamentalistische bzw. evangelikale Christen den Text so, und das ist eigentlich nur konsequent, wenn die Bibel absolut irrtumslose Autorität ist. Dann hätte Paulus nämlich in seiner glasklaren Voraussicht, wie die anderen Propheten auch, über die wirklich letzte Zeit gesprochen. Doch respektiert eine solche Sicht nicht den uns zunächst fremden Menschen und Briefschreiber Paulus und vereinnahmt ihn rückhalt- und rücksichtslos.

Historisch gesehen ist das "Wir" natürlich auf Paulus und die Briefempfänger zu beziehen. Dann ist aber auch zu sagen: Paulus meinte, daß er mit den Christen aus Thessalonich die Ankunft Jesu vom Himmel bei der Stimme des Erzengels und der Posaune Gottes erleben werde. Diese Hoffnung hat sich als Irrtum erwiesen.

Die Erneuerung der neutestamentlichen Zukunftserwartungen ist aber auch angesichts des gegenwärtigen Wissens über den Kosmos auszuschließen[105], denn das Aussterben der Menschheit bedeutet für den Kosmos etwa das gleiche wie das Ende eines Ameisenhaufens für unsere Erde. Der echte christliche Glaube muß hier endlich

---

[105] Anders wiederum *Pannenberg*, Theologie II (s. Anm. 27) 392f: "Die christliche Botschaft von der Auferstehung Jesu bedarf zu ihrer endgültigen Bewahrheitung des Ereignisses der eschatologischen Totenauferstehung. Das Eintreten dieses Ereignisses ist eine der Wahrheitsbedingungen, wenn auch keineswegs die einzige, für die Behauptung der Auferstehung Jesu. Diese Behauptung impliziert ein Wirklichkeitsverständnis, das auf der Vorwegnahme einer noch nicht eingetretenen Vollendung des menschlichen Lebens und des Weltgeschehens beruht. Schon aus diesem Grunde wird die christliche Osterbotschaft so lange umstritten bleiben, wie die allgemeine Auferstehung der Toten in Verbindung mit der Wiederkunft Jesu noch nicht eingetreten ist".

wahrhaftig zu reden beginnen und unverzagt der Vergänglichkeit alles Irdischen ins Auge blicken. Dabei geht es auch um die Nüchternheit einer Betrachtung, die uns wieder an die herbe Wirklichkeit, an die grausame Tatsächlichkeit und extreme Sinnlosigkeit des Sterbens eines jeden Menschen erinnert. Uns ist genug an dem Zugang zu Gott, der durch Jesus im Glauben gegeben ist. Das bloß Faktische und Zufällige der Person Jesu besitzt so eine letzte Gültigkeit[106]. In der geschichtlichen Kontingenz von Botschaft und Auftreten Jesu leuchtet ein unbedingtes Sein empor[107]. Die Gegenwart Gottes flutet über in das Leben Petri und der ersten Jünger(innen), in unsere Gegenwart und macht uns Gottes teilhaftig. Von dieser Einheit mit Gott geurteilt, kann den Glaubenden auch der Tod nichts mehr anhaben. Gemeinschaft mit Gott in der Gegenwart eröffnet so die Gewißheit, auch im Tode bei Gott zu sein.

Zusammenfassend gesagt, kann eine historische Betrachtung der sogenannten Osterereignisse zu einem Glauben führen, der sich anderen Menschen vernünftig mitzuteilen vermag und den alten als neuen Glauben, als Möglichkeit auch für heutige Menschen freilegt. Eine radikale Kritik am Anachronismus des alten Glaubens bedeutet nicht das Ende des Glaubens, sondern führt auf sein eigentliches Zentrum, Jesus selbst, zurück. In ihm liegt m. E. das Zentrum aller künftigen Theologie[108], wie immer man das Verhältnis von Mensch-

---

[106] Vgl. *Ohlig*, Christologie (s. Anm. 93) 672.
[107] Vgl. *H. Verweyen*, Gottes letztes Wort. Grundriß der Fundamentaltheologie, Düsseldorf ²1991, 384-416.
[108] Zu *Ulrich H. J. Körtner*, Theologie in dürftiger Zeit, KT 75, München 1990, nach dem - plakativ gesagt - *"die Zukunft der Theologie in der Exegese des Neuen Testaments"* liegt (52). Dies als vorläufige Teilantwort auf seine einfühlsame Rezension meines Auferstehungsbuches, in: Amt und Gemeinde 1994, die er mir freundlicherweise vorweg zukommen ließ. Er bemängelt dort u. a., daß das hypothetische Konstrukt historischer Forschung, Jesus, nicht das *extra nos* des Glaubens sein könne und führt aus: "Auf dem Boden historischer Skepsis lassen sich weder dogmatische Christrosen noch plane Vergißmeinnicht einer Ewigkeitshoffnung züchten." Vielleicht sollte sich die vielberufene historische Skepsis doch noch einmal das historisch authentische Jesus-Gut anschauen und nicht vorweg negativ urteilen. "Daß das Ergebnis jeder historischen Untersuchung stets offenbleibt für Revision, Nuancierung und Korrektur, wird kein Historiker leugnen. Daß aber *deshalb* kein einziges historisches Urteil als fundiert bezeichnet werden darf und bloß eine 'probable Hypothese' ist, scheint mir flagrant falsch zu sein" (*Schillebeeckx*, Jesus [s. Anm. 34] 521).

lichem und Unbedingtem bei Jesus auch bestimmen mag[109]. Die Gewißheit des Glaubens, auch im Tode, in unserem Tode bei Gott zu sein, wird von der Radikalkritik nicht in Frage gestellt, vielmehr erst begründet.

---

[109] Auch diejenigen modernen Christologien, die ohne Wenn und Aber der historisch-kritischen Methode verpflichtet sind, setzen die traditionelle Lehre der Sündlosigkeit Jesu voraus; vgl. nur G. *Ebeling*, Dogmatik des christlichen Glaubens II, Tübingen 1979, 177-191; *Ohlig*, Christologie (s. Anm. 93) 672; *Verweyen*, Wort (s. Anm. 107) 480. Doch hat Jesus offenbar ein Sündenbewußtsein gehabt, da er sich von Johannes dem Täufer taufen ließ (Mk 1,9), dessen Taufe zur Vergebung der Sünden geschah (Mk 1,4). Zur Authentizität von Mk 1,4 als Täufertradition vgl. *I. Broer*, Jesus und das Gesetz, in: *ders.* (Hrsg.), Jesus und das jüdische Gesetz, Stuttgart 1992, 61-104, hier 96.

II

Der Glaube an die Auferstehung Jesu und das geschichtliche Verständnis des Glaubens in der Neuzeit

Ingo Broer, Siegen

1. Differenz zwischen Kanzel und Katheder

In den Kirchen der Reformation spricht man schon lange von dem Unterschied zwischen Kanzel und Katheder. Viele Dinge, die die jungen Pfarrer an der Universität gehört haben, sollten sie danach dem Kirchenvolk besser nicht zumuten und dieses so nicht verwirren. Dagegen hat sich sicher nicht erst Emanuel Hirsch, einer der Hauptzeugen, ja der entscheidende Zeuge Lüdemanns überhaupt (202)[1], verwahrt.

Lüdemanns Buch verdankt sich zumindest auch diesem Zwiespalt (26f) und stellt den Versuch dar, ihn zu überwinden, insofern das Buch sich ja ausdrücklich an breitere Kreise richtet (15f). Danach würde also wenigstens für Lüdemanns Buch nicht gelten, was Baigent/Leigh in ihrem Qumran-Bestseller der ganzen Zunft unterstellen, daß die Theologen nämlich das Christenvolk künstlich für dumm halten, obwohl sie eigentlich längst eingesehen haben, daß an den christlichen Wahrheiten nichts Originelles ist. Vielmehr ist Lüdemann durchaus davon überzeugt, daß es sich lohnt, Christ zu sein, nur will er die Positionen hinsichtlich der Auferstehung zurechtrücken und sozusagen eine historisch zutreffendere Perspektive auf Jesus und seine Auferstehung bieten. Solche Versuche gibt es immer wieder und muß es immer wieder geben - ebenso gibt es natürlich auch die Verdächtigungen der Autoren, die solche Übersetzungsversuche des Glaubensgutes in die Gegenwart machen. Gut erinnerlich ist z. B. noch der Versuch von Rudolf Pesch aus

---

[1] Seitenangaben im Text beziehen sich immer auf das Buch von *Lüdemann*.

dem Jahre 1973[2], um von Willi Marxsens Versuch "Die Auferstehung Jesu als historisches und als theologisches Problem"[3]
ganz zu schweigen. Solche Arbeit ist auch für katholische Christen
notwendig, denn auch in der katholischen Kirche kann man
gelegentlich den Eindruck gewinnen, daß es die Differenz zwischen
Kanzel und Katheder gibt. Jedenfalls mag ich wenigstens vorläufig
ohne den Beweis des Gegenteils nicht glauben, daß mancher Pfarrer
vieles einfach nicht besser weiß.

2. Die Zeitgemäßheit der Glaubensformulierungen und die Verantwortung des Theologen

Zu den Fragen, wo solche Differenzen zwischen Kanzel und
Katheder eine Rolle spielen, gehört auch und vor allem die
historische Problematik der Auferstehung Jesu[4]. Angesichts der
Auseinandersetzung um Lüdemanns Thesen, die freilich nicht
immer auf die Kraft der Argumente baut, kann man sich allerdings
wirklich fragen, ob man gut daran tut, sich an der Verkleinerung
dieser Differenz und damit an der Umsetzung des Glaubensgutes in
unsere Zeit weiterhin zu beteiligen. Es gibt ja immer irgendwelche
kleinen oder auch großen Geister, die sofort den Glauben in Gefahr
sehen und nach disziplinarischen Konsequenzen rufen. Aber es ist
nun einmal die Aufgabe des Theologen, ob es bestimmten theologischen Richtungen paßt oder nicht, die Fragen aufzugreifen, die
heute gestellt werden und auch zu stellen sind, und das überlieferte
Glaubensgut damit zu konfrontieren. Wer nicht bereit ist, sich auf
die Fragen unserer Zeit einzulassen und von ihnen her das Glaubensgut zu betrachten und so beides miteinander ins Gespräch zu

---

[2] Zur Entstehung des Glaubens an die Auferstehung Jesu, in: ThQ 153 (1973) 201-218.
Vgl. auch die Kritik dieser Thesen im gleichen Heft.
[3] Gütersloh ²1965.
[4] Dieses Dilemma hat *K. Berger*, Die andere Wahrnehmung, in: FAZ 2.4.1994 Nr. 77
(Bilder und Zeiten) beschrieben: "Auch diese Sicht ist auf ihre Weise vernünftig und
aufgeklärt. Denn eine leibliche Auferstehung wird hier gerade nicht angenommen, kein
leeres Grab und keine Ostererscheinung sind nötig, das Visionäre und das Mythische
entfallen. Gott hat nicht an Jesus ein Wunder gewirkt, sondern als das österliche
Wunder gilt die Entstehung des Glaubens .... Aber ist das alles, ist das schon Ostern?
Tröstet das die Menschen am Grab? Und hier beginnen dann wieder die Inkon-
sequenzen, denn kein Pastor wird es lange durchhalten, auf die Anfrage die Auskunft
zu geben, Auferstehung sei eine mythische Vorstellung und in Wirklichkeit gehe es nur
darum, daß wir uns angenommen wüßten."

48

bringen, hat den Beruf eines Theologen verfehlt. Der Einwand, so mache sich der einzelne zum Hüter des Glaubens und das gehe nicht an, ist ein Scheinargument, weil in der Geschichte der Prozeß der Glaubenstradierung immer so verlaufen ist, daß einzelne überlegt haben, wie der Glaube in der jeweiligen Gegenwart auszusagen war/ist, und daß in der Regel erst dann, wenn diese Auslegungsversuche Probleme gemacht haben, das Lehramt eine Entscheidung herbeizuführen versucht hat. Aber auch diese Entscheidung findet nur nach längerer Diskussion statt, in der einzelne Argumente und eigene Übersetzungsversuche vorliegen und so ein Konsens gesucht wird.

3. Die Notwendigkeit argumentativen Austauschs

Versuche, nicht ausdiskutierte Fragen durch eine Entscheidung des Lehramts ohne weitere Diskussion vorschnell zu beenden, hat es freilich allein in unserem Jahrhundert auch mehrfach gegeben - die Ergebnisse legen nahe, solche Versuche besser zu lassen. Allerdings scheint die Versuchung zu solch vorschnellen, die Diskussion nicht abwartenden, sondern eher abwürgenden Entscheidungen ziemlich groß zu sein. Freilich sind die "Quittung" dafür und der damit verbundene Autoritätsverlust ebenfalls nicht zu übersehen.

Zu der argumentativen Auseinandersetzung mit den Thesen von Lüdemann zur Auferstehung Jesu will ich im folgenden etwas beizutragen versuchen, aber, um das von vornherein ganz deutlich zu sagen: im Ansatz, in der Art, an die Sache heranzugehen, und auch im Ergebnis sind die Arbeit Lüdemanns und meine eigenen Arbeiten eng verwandt. Von daher sind meine Bedenken eher, wie es bei Exegeten ja häufig der Fall ist, auf Einzelheiten bezogen, um nicht zu sagen, auf Kleinigkeiten. Wie bedeutsam diese Kleinigkeiten sind, mag der Leser selbst beurteilen.

4. Zur literarischen Gattung des Folgenden

Dabei ist, und für den exegetisch geschulten Leser genügt es, wenn ich nur kurz daran erinnere, die literarische Gattung meiner Ausführungen unbedingt zu beachten. Wenn hier ein Gespräch stattfinden soll, macht es wenig Sinn, vor allem bei den Positionen, wo wir übereinstimmen, zu verharren, sondern es müssen die

Kontroversen im Vordergrund stehen. Die Gefahr, in die man dabei freilich gerät, kann man m. E. sehr schön an der Stellungnahme eines bekannten Heidelberger Kollegen sehen, der bei der Auseinandersetzung mit Lüdemanns Buch nicht nur das hohe Alter der Traditionen vom leeren Grabe betonen zu können meint, sondern sich sogar zu der mir vollends unverständlichen Aussage hinreißen läßt: "Die Berichte über das leere Grab werden von allen vier Evangelien (und anderen Schriften des Urchristentums) in voneinander unabhängiger Form erzählt. Gerade über das leere Grab und Geschehnisse in diesem Zusammenhang haben wir eine große Fülle von Berichten, die selbständig überliefert worden sind." Dann verwundert die Bemerkung nicht mehr: "Wir haben einfach nicht das Recht zu bezweifeln, daß die Frauen, allen voran Maria Magdalena, die Erfahrung des leeren Grabes tatsächlich gemacht haben. Wer meint, es besser zu wissen, disqualifiziert sich selbst."[5] Die Gefahr, den Widerspruch zu übertreiben, fest im Blick, möchte ich im folgenden zunächst einige *Fragen* grundsätzlicher Art formulieren, die mir angesichts der Ausführungen Lüdemanns aufgefallen sind und die mir noch nicht genügend geklärt zu sein scheinen, dann, in einem zweiten Teil, möchte ich zu einigen Detailproblemen und zur Gesamtthese einige kritische Anmerkungen vorlegen.

5. Kein exegetischer Konsens - nicht einmal in der Frage der Historizität des leeren Grabes

Wie wenig in der Beurteilung der Auferstehung heute Einigkeit besteht und wie umstritten selbst einfache Fragen sind, von denen man meinen sollte, sie seien längst erledigt, sei vorab kurz erinnert. In der ZKTh 1993 ist ein Artikel eines ziemlich bekannten Systematikers erschienen, der sich energisch für die Historizität und auch für die Bekanntheit des leeren Grabes in der Urgemeinde in Jerusalem einsetzt und meint, genügend Argumente gegen die

---

[5] *K. Berger*, Ostern fällt nicht aus! Zum Streit um das "kritischste Buch über die Auferstehung", in: idea spektrum 3 (1994) S. 21f. Vgl. freilich auch *ders.*, Wahrnehmung (s. Anm. 4): "Und wissenschaftlich erweisbar ist das leere Grab nicht." Aber auch: "Die Achtung vor der Wahrnehmung des anderen verbietet mir daher angesichts der Ostertexte die Aussage, das Grab sei nicht leer gewesen. Denn ich war nicht dabei, und nichts berechtigt mich, sein Zeugnis zu korrigieren, als habe er unrecht gehabt."

Ausführungen A. Vögtles[6], des Großmeisters neutestamentlicher Exegese nicht nur in Freiburg, vorbringen zu können, die eine solche Behauptung rechtfertigen[7]. Das Problem der Diskussion der Auferstehungsfrage besteht nicht zuletzt darin, daß die Argumente im Prinzip ausgetauscht sind und neue Argumente nur noch selten begegnen - es hängt ganz offensichtlich an anderen Dingen, z. B. an bestimmten Vorstellungen vom Eingreifen Gottes in die Geschichte und vom Leben der Urgemeinde, zu welchem Ergebnis man kommt.

6. Hat die Exegese einen Zugang zu der Ostererfahrung der ersten Zeugen?

Das Anliegen Lüdemanns ist, *historisch* an die Auferstehung heranzugehen und die historische Frage nicht zu früh auszublenden, indem man ins Kerygma hinüberspringt. Dieses Anliegen ist m. E. zu bejahen, wenn auch über die Gründe dafür weiter nachzudenken sein wird. Ich denke nicht, daß historisch-kritische Forschung erkennen kann, "was Glaube im ersten Jahrhundert war" (11), sie kann allenfalls danach fragen, welche Glaubensinhalte der Glaube damals hatte und wie diese verstanden wurden. Sie muß sich aber darüber im klaren bleiben, daß sie damit nur einen Ausschnitt dessen ins Auge faßt, was Glauben eigentlich ist, und daß sie auch diesen Ausschnitt nur annäherungsweise in den Griff bekommt. Darüber hinaus muß sich der historisch-kritisch fragende Exeget m. E. auch stets vor Augen halten, daß sein Tun und der Glaube auf jeweils verschiedenen Ebenen liegen, jedenfalls wenn er nach den den Überlieferungen des Neuen Testamentes zugrundeliegenden Ereignissen fragt[8]. Wir haben als Theologen gelernt, daß man Theologe nur sein kann, wenn man gläubiger Christ ist (mir hat das

---

[6] *A. Vögtle, R. Pesch*, Wie kam es zum Osterglauben? Düsseldorf 1975.
[7] *R. Schwager*, Die heutige Theologie und das leere Grab Jesu, in: ZKTh 115 (1993) 435-450. Vgl. auch die total unterschiedliche Wertung der Arbeit Craigs bei *Schwager* einerseits (438 Anm. 15) und bei *Lüdemann* andererseits (Anm. 12; Anm. 129). Vgl. des weiteren das oben (Anm. 5) angeführte Zitat von *Berger* und *H. J. Schultz*, Die apostolische Herkunft der Evangelien (QD 145) Freiburg 1993, 155 Anm. 53.
[8] Die historisch-kritische Methode sollte aber nicht einfach mit der Rückfrage nach der Historizität der den Überlieferungen zugrundeliegenden Ereignisse identifiziert werden. Diese Rückfrage stellt vielmehr nur einen kleinen Teil der historisch-kritischen Arbeit dar.

nie völlig eingeleuchtet, und zumindest für einen Teil der exegetischen Arbeit ist dieser Schluß m. E. auch nicht zwingend).

Wenn Lüdemann sagt, "daß viele innerhalb von Kirche und Theologie gar nicht mehr wissen, was christliche Erfahrung als Erfahrung von 'Auferstehung' war" (16; Hervorhebung I. B.), so frage ich mich, ob er damit nicht die Exegese überfordert, wenn sie das leisten, also den Menschen einen Zugang dazu eröffnen soll, was christliche Erfahrung von Auferstehung damals war. Exegese kann vielleicht den Inhalt des damaligen Auferstehungsglaubens aufhellen, sie kann vielleicht beschreiben, welche Bedingungen gegeben waren, die zu den ersten Erfahrungen der Auferstehung Jesu geführt haben, aber auszusagen, "was christliche Erfahrung als Erfahrung von 'Auferstehung' war", dazu ist sie m. E. nicht in der Lage, weil Erfahrung dafür viel zu komplex ist. Vor allem sind uns viele weltbildhafte (man könnte auch sagen: erfahrungsbedingte) Vorgegebenheiten des antiken Menschen so fremd, daß es allenfalls ansatzweise gelingen kann, sich in den antiken Menschen hineinzuversetzen und so einen Zugang zu seiner christlichen Erfahrung, einen Zugang zu seiner Hoffnung zu finden. Das heißt nicht, daß man nicht selbst Hoffnung auf die Auferstehung haben, und es heißt auch nicht, daß man nicht über Erfahrungen mit seinem Glauben verfügen kann; aber so sehr diese Erfahrungen (das Normale sind solche Glaubenserfahrungen heute übrigens nicht) das exegetische Bemühen auch befruchten und dem Exegeten Dimensionen zugänglich machen, die ihm sonst verstellt blieben, so wenig ist ihm m. E. das äußerst komplexe Phänomen damaliger Glaubenserfahrung einigermaßen vollständig zugänglich[9].

7. Das Verhältnis von damaligem und heutigem Glauben oder: Zur Identität des Glaubens damals und heute

Ungeklärt scheint mir auch die Frage des Verhältnisses von damaligem und heutigem Glauben zu sein. Lüdemann sagt: "Falls Bultmann in seiner Bestreitung ihrer (sc. der Auferstehung) Historizität recht behalten sollte, wäre in der Tat ein symbolisches

---

[9] Dieser Einwand scheint gegen Lüdemann in unterschiedlicher Form bereits mehrfach vorgetragen worden zu sein. Deswegen hat er in seinem Freiburger Vortrag gefragt, ob die Autoren dieses Einwandes etwa ein Interesse an solcher Nicht-Zugänglichkeit hätten. Ich für meinen Teil kann diese Frage eindeutig mit Nein beantworten.

Verständnis vielleicht eine Möglichkeit, auch heute noch Christ zu bleiben. Oder müßte man doch den zu großen Abstand eines solchen Glaubens zu dem der ersten Zeugen zugestehen und dem Christentum ehrlicherweise den Abschied geben? Oder sollte sich ein zeitgemäßer Glaube nicht vielmehr als bisher an Jesus selbst orientieren?" (15)

Natürlich darf der Glaube der Christen heute kein anderer werden und sich fundamental von dem früherer Christen unterscheiden, aber was heißt das und wie ist solche zu postulierende Identität zu denken? Mir scheint, daß jedenfalls die Damaligen nicht darüber entscheiden können, ob unser Glaube noch ihr Glaube ist. Sie würden z. B. bei den Ausführungen heutiger Exegese zur Jungfrauengeburt vermutlich direkt in Ohnmacht fallen, weil sie, wenn sie von der Jungfrauengeburt überhaupt gehört hätten, etwa den Begriff historisches Faktum in keiner Weise einzuordnen vermöchten und im Unterschied zu uns Theologie und Historie in eins sehen würden. So könnten die damaligen Zeugen auch nicht darüber entscheiden, ob unser Auferstehungsglaube mit ihrem Glauben an die Auferstehung Jesu identisch ist.

Mir scheint ein anderes Korrektiv hier sinnvoller zu sein: Wir wissen, daß der Auferstehungsglaube im Judentum zur Zeit Jesu weder besonders alt noch allgemein anerkannt war[10], und wir haben gute Gründe für die Annahme, daß die Auferstehung der Toten und die Auferstehung Jesu in der Urgemeinde nach dem gleichen Modell gedacht wurden, vgl. Mt 27,51-53. Wenn die Urgemeinde und allen voran Petrus aufgrund welcher Erfahrungen auch immer den Mut gehabt hat, diese ihre ja die Endzeit betreffende Hoffnung auf das Schicksal des gestorbenen Jesus zu übertragen (das ist doch das Entscheidende an dem Satz "gestorben und auferstanden"), dann ist unser Glaube so lange mit dem der Urgemeinde identisch, wie wir das zu tun in der Lage sind, nämlich das endzeitliche Schicksal, das wir für uns erhoffen, auf den Jesus der Geschichte zu übertragen. Unser Glaube an die Auferstehung Jesu ist so lange mit dem der

---

[10] Vgl. dazu die Arbeiten von *H. C. C. Cavallin*, Life after Death. Paul's Argument for the Resurrechtion of the Dead in 1 Cor 15. Part I: An Enquiry into the Jewish Background (CB) Lund 1974; *ders.*, Leben nach dem Tode im Spätjudentum und im frühen Christentum. I. Spätjudentum, in: ANRW II 19/1 (1979) 240-345; *G. Stemberger*, Der Leib der Auferstehung. Studien zur Anthropologie und Eschatologie des palästinischen Judentums im neutestamentlichen Zeitalter (ca. 170 v. Chr.-100 n. Chr.) (AnBib 56), Rom 1972.

ersten Zeugen identisch, wie wir dies tun, also das Schicksal des gestorbenen Jesus in Analogie zu dem sehen, was wir im Eschaton für uns erhoffen.

Aber sind wir nicht damit dem Denken der Moderne, oft als Zeitgeist verunglimpft, von vornherein und ohne Not schon viel zu weit entgegengekommen? Sprechen nicht zumindest die Erzählungen von den Erscheinungen und vom leeren Grab dagegen und fordern diese nicht ein wesentlich massiveres Verständnis von Auferstehung?

So kontrovers die Exegese und ihr Erscheinungsbild heute auch sind, so gibt es doch keine Zweifel daran, daß es keinen Zeugen der Auferstehung gibt. Diese begegnen erst in der Form von zu Tode erschrockenen Wachhabenden bei Mt (28,2-4) und im Petrusevangelium. Was wir haben, sind nur Zeugen von Erscheinungen und Zeugen des leeren Grabes, die aufgrund dieser ihrer Zeugenschaft aussagen: Er ist auferstanden. Bezeichnenderweise sagen ja die älteren Auferstehungsformeln auch nichts darüber, ob der Gesehene mit den Erscheinungsempfängern gesprochen und ihnen seine Auferstehung selbst angesagt hat[11]. Die massiven Vorstellungen von der Körperlichkeit des Auferstandenen finden sich demgemäß erst in den spät entstandenen Schriften des NT. Das bedeutet aber doch, daß die Erscheinungsempfänger aus ihrer Erfahrung des Sehens oder, um es mit Marxsen zu sagen: aus ihrem Widerfahrnis des Sehens auf die Auferstehung *schließen*. Dieser Rückschluß bedeutet nicht mehr und nicht weniger, als daß sie das Phänomen des sich Sehenlassens Jesu in ihr Weltbild einordnen und dabei entdecken, daß in ihrem Weltbild dieses Phänomen mit der Auferstehung verbunden ist. Von daher sind auch wir legitimiert, die Aussage von der Auferstehung in unser Weltbild einzupassen.

8. Die Bedeutung der historischen Rückfrage für den christlichen Glauben

Lüdemann betont zu Recht, daß die historische Fragestellung hinsichtlich der Auferstehung nicht sistiert werden darf. Aber

---

[11] Zu der Frage, ob der Auferstandene gesprochen hat und was er ggf. gesagt haben könnte, vgl. den unlängst erschienenen Beitrag von *A. Vögtle*, Die unaufgebbare Herausforderung des Osterglaubens (Folge 17), in: CiG 46 (1994) 215.

warum nicht und zu welchem Zweck? Den Grund für die Notwendigkeit der historischen Rückfrage scheint mir Lüdemann ebenfalls zutreffend anzugeben, wenn er sagt, diese Fragestellung sei uns durch die Aufklärung und unsere Geisteshaltung aufgegeben. Westliches Denken ist nun einmal historisches Denken, daran kann kein Zweifel sein. Wenn Theologie im Horizont des Denkens der heutigen Menschen - jedenfalls im sog. christlichen Westen - bleiben und kommunikabel sein will, kann sie sich dieser Art zu denken auch nicht entziehen.

Aber was kann historische Arbeit für den Glauben leisten? Seit Lessing gehört es zu den Binsenwahrheiten, daß zufällige Geschichtswahrheiten der Beweis für notwendige Vernunftwahrheiten nie werden können[12]. Wie ist das Verhältnis von Glaube und Geschichte zu denken, oder um es mit Verweyen zu sagen, was hat es für die historische Frage nach der Auferstehung Jesu für eine Bedeutung, daß das Verhältnis von Glaube und Geschichte als "bis heute im Grunde unausgestandene ... Frage" angesehen werden kann oder muß[13]. Der Satz Lessings, auf unser Problem bezogen, würde doch besagen, daß die Historizität des leeren Grabes und der Erscheinungen - diese einmal vorausgesetzt - dem Glauben keinen Beweis liefern würde. Ebenso würde ja wohl auch das Gegenteil gelten: Ließe sich nachweisen, daß das Grab Jesu *nicht* leer war (was Lüdemann ja versucht) und daß die Erscheinungen als Visionen nicht über das hinausgingen, was auch sonst im AT, zwischentestamentarischen Judentum, in hellenistischen und römischen Quellen und nicht zuletzt auch im übrigen NT erzählt wird und zumindest bei Paulus auf eine innere Stauung in seiner Person schließen läßt (48.97f), so könnte auch das kein Beweis gegen die christliche Botschaft sein[14]. Wenn das zutrifft, wenn historische Fakten z. B. aufgrund ihrer Zufälligkeit (nie) zum Glauben führen, aber auch nicht dessen Unwahrheit aufweisen können[15], muß die Frage, worin die Bedeutung der historischen

---

[12] Vgl. *G. E. Lessing*, Über den Beweis des Geistes und der Kraft, in: Schriften 2. Lessings Werke, Hg. v. *K. Wölfel*, Bd. III, Frankfurt 1967, 307-312, 309.

[13] *H. Verweyen*, Gottes letztes Wort. Grundriß der Fundamentaltheologie, Düsseldorf 1991, 352, vgl. auch 389.

[14] Vgl. übrigens *G. E. Lessing*, Axiomata. Lessings Werke, Bd. 3, 442: "Nur daß ich die Einwürfe, die gegen das Historische der Religion gemacht werden, für unerheblich erkläre, sie mögen beantwortet werden können oder nicht!"

[15] Wobei es freilich eine Ausnahme gibt, nämlich die Existenz Jesu selbst.

Rückfrage *für den Glauben* besteht, noch einmal verschärft gestellt werden. Diese Rückfrage erneut zu stellen, scheint mir angesichts der Lektüre des Lüdemannschen Buches unausweichlich[16].

Aber die Konsequenzen daraus, daß das Verhältnis von Glaube und Geschichte unklar bleibt, beziehen sich bei Lüdemann keineswegs nur auf den bereits dargestellten Zusammenhang. Denn auch Lüdemann kann mit seiner historischen Kritik natürlich nicht einfach völlig neue Möglichkeiten oder gar Paradigmen eröffnen. Auch er bleibt mit seiner Lösung innerhalb eines vorgegebenen breiteren Rahmens, der durch die Pole historischer Jesus - Auferstehung Jesu gekennzeichnet werden kann. Legen die einen den Akzent ganz stark auf die Auferstehung unter weitgehender Vernachlässigung des historischen Jesus, so die anderen auf den historischen Jesus unter weitgehender Vernachlässigung der Auferstehung Jesu - zu den zuerst Genannten gehört Lüdemann offensichtlich nicht. Er deutet dies gleich zu Anfang seines Werkes an, wo er auf den Zusammenhang des Kerygmas mit dem historischen Jesus hinweist und von dorther, also vom Zusammenhang des Glaubens der ersten Zeugen mit der Verkündigung Jesu her, "die Frage unseres Glaubens und unseres Einverständnisses mit der Botschaft Jesu und der ersten Zeugen" erörtern will. Zum Schluß führt er dann aus: "Ostern führte zu einer Erfahrung mit Jesus, welche die alte verstärkte. Schließlich ergab die historische Rekonstruktion die Erkenntnis, daß die oben gemachten Strukturmerkmale der Ostererfahrung der Sündenvergebung, der Erfahrung des Lebens, der Erfahrung von Ewigkeit in Wort und Geschichte Jesu enthalten sind. So wird man sagen müssen: Vor Ostern war bereits all das vorhanden, was nach Ostern endgültig erkannt wurde." (200) "Wort und Geschichte Jesu bargen alle Wesensmerkmale des ältesten Auferstehungsglaubens bereits in sich, so daß die frühen Zeugen, durch das Kreuz geläutert, z. T. mit anderer Sprache das Gleiche sagten wie Jesus." "Der Mensch Jesus ist die *objektive* Macht, die den immerwährenden Grund der Erlebnisse eines Christen darstellt ... Er ist der Grund zum Glauben ... Hier am historischen Jesus, wie er mir durch die Texte vorgegeben ist und durch historische Rekonstruktion als Person begegnet, fällt also die Entscheidung des Glaubens, nicht am

---

[16] Vgl. dazu auch die Ausführungen von *K.-H. Ohlig* zur Übergeschichtlichkeit des Glaubens in diesem Band.

auferstandenen Christus, wie ich ihn mir erwünscht habe oder wie er z. B. als Symbol des Selbst archetypisch allen Menschen zugänglich ist." (200)

Wenn alles auf den historischen Jesus ankommt, dann hängt der Glaube an der historischen Rückfrage, die ebenso zufällig ist wie die ihr zugrundeliegenden Fakten[17]. Heißt aber der paulinische

---

[17]Das Dilemma der historischen Rückfrage wird treffend von *H. Schürmann*, Neutestamentliche Marginalien zur Frage nach der Institutionalität, Unauflösbarkeit und Sakramentalität der Ehe, in: Kirche und Bibel. Festgabe für Bischof Eduard Schick, Paderborn 1979, 409-430, 411 zum Ausdruck gebracht: "Maßgeblich für die kirchliche Verkündigung und Praxis kann nicht ein mit Hilfe der historisch-kritischen Methode erarbeitetes ipsissimum verbum Jesu bzw. die ipsissima intentio Jesu hinter den neutestamentlichen Texten sein; maßgeblich sind die *Aussagen der kanonischen Texte*, diese freilich vom Ganzen der Hl. Schrift her interpretiert." Für einen Exegeten äußerst erstaunlich ist dann freilich das hieraus gezogene Fazit, das mich in nicht geringer Weise bestürzt hat, weil es immerhin nicht von irgendwem, sondern von einem anerkannten Fachmann neutestamentlicher Exegese, wenn auch nicht unbedingt von einem strengen Verfechter historisch-kritischer Exegese stammt: "Die nachstehend zu besprechenden drei neutestamentlichen Texte werden auch von katholischen Auslegern - bezüglich ihres Sinngehaltes wie ihres Geltungsanspruches für heute - unterschiedlich interpretiert. Es kann hier nicht unsere Aufgabe sein, uns einer der vielen Auslegungen anzuschließen bzw. diese um eine eigene zu ergänzen. Weil die historisch-kritische Methode in den uns hier beschäftigenden Fragen *nicht zu der Sicherheit* führen kann, welche eine verantwortete kirchliche Praxis benötigt, wird die Kirche die Texte von ihrer 'Wirkgeschichte' her verstehen müssen; d. h. sie muß ihr praktisches Verhalten von den Traditionen mitbestimmen lassen, wobei der Praxis der noch geeinten frühen Ost- und Westkirche weisende Bedeutung zukommen muß." Der Hinweis, daß die historisch-kritische Exegese nicht zu der kirchlich benötigten Sicherheit führen *kann*, wird hier dazu benützt, die Aussagen der Tradition der der Schrift vor- und überzuordnen, jedenfalls wenn ich das recht verstehe. Aber wer ist denn in der Lage, die Praxis der Kirche der ersten Jahrhunderte in einer für die praktischen Zwecke der Verkündigung adäquaten Weise auszulegen, ohne irgendwie ein Anhänger der historisch-kritischen Methode zu sein? Wird hier nicht ohne Not das Feld der Bibel-Interpretation zugunsten einer nicht minder bestreitbaren Auslegung der Tradition geräumt? Es kommt m. E. darauf an, zwischen der historischen Rückfrage und der historisch-kritischen Auslegung des Bibeltextes zu unterscheiden, die erste hat für die Verkündigung letztlich nur deswegen Bedeutung, weil sie dem Verständnis der zweiten Art hilft. Die Ergebnisse der historischen Rückfrage an die kirchliche Tradition des 1. Jahrtausends mögen im übrigen eindeutiger ausfallen als die der Auslegung des Neuen Testaments, aber es wäre m. E. ein verhängnisvoller Irrtum, erstere deswegen für sicherer einzuschätzen als letztere. Die größere Einstimmigkeit könnte ganz verschiedene Ursachen haben. Für alle historisch ermittelten Erkenntnisse gilt nun einmal die bereits oben zitierte Maxime Lessings! Vgl. auch ebd. 418 Anm. 25, wo Schürmann die unterschiedliche Auslegungsmöglichkeit der mt porneia-Formel kirchlich überspringen will. - So sehr, wie oben dargelegt, der Glaube sein eigenes Fundament haben muß, so wenig kann der Glaube die Ergebnisse der historischen Rückfrage einfach überspringen, sondern er muß sich den Ergebnissen dieser Rückfrage stellen und sehen, wie er damit zurechtkommt. Exegese umfaßt dann freilich mindestens beides, Sich-Stellen der historischen Fragen und Aufzeigen der Wege, wie der Glaube die daraus resultierenden Probleme bewältigen kann. Genau das

Satz: "Der Glaube kommt vom Hören" (Röm 10,16f; Gal 3,2), daß der Glaube von den Ergebnissen der historischen Wissenschaft abhängt? Und würde sich das Bild des historischen Jesus, wenn man historisch so konsequent an das Leben Jesu heranginge, wie Lüdemann das mit der Auferstehung tut, nicht genau so verflüchtigen wie die Auferstehung? Oder ganz anders gesagt: Fragt man nach dem, was den Glauben vieler Generationen verbindet, also nach der Identität des Glaubens, so fällt der historische Zugang zum Glauben als Identität stiftendes Merkmal schon deswegen aus, weil das Wort Faktum, wie Lessing gezeigt hat, erst in seiner Zeit den dann so folgenreichen Aufschwung genommen hat und z. B. Luther von der Fragestellung, die später die ganze kritische Bibelwissenschaft bewegt hat und noch bewegt, nichts erkennen läßt. Die Differenzierung zwischen historischer und theologischer Aussage ist eben auch ein Kind der Aufklärung.

Dann wird für mich aber zur entscheidenden Frage, ob wir angesichts unserer historischen Kenntnisse und Überlegungen an der im Urchristentum ganz häufig variierten Aussage, daß Christus auferweckt worden/auferstanden ist - auffälligerweise ist ja nicht die Erscheinungsaussage das Zentrum des christlichen Glaubens geworden, sondern die (jedenfalls für uns) sich daraus ergebende Konsequenz -, theologisch festhalten können oder nicht. Die urchristliche Theologie hat als ihr Zentrum eine Aussage vom Handeln Gottes am toten Jesus. Dieses ist m. E. der grundlegende und primäre Inhalt der Visionen der sog. Auferstehungszeugen, und nicht etwa die Vergebung der Sünden, die Erfahrung des Lebens in der Gemeinde und des ewigen Lebens als Inhalt des Lebens der Menschen (194f). Welche historischen Gründe zwingen uns, diese aufzugeben und nunmehr zu sagen: Jesus ist der Grund zum Glauben (201) und: "Wort und Geschichte Jesu bargen alle Wesensmerkmale des ältesten Auferstehungsglaubens bereits in sich" (200)? Ist die Aussage, Gott hat am toten Jesus das bewirkt, was er nach dem Tode oder im Eschaton auch an den Menschen

---

versucht m. E. Lüdemann und wir haben zu diskutieren, ob der von ihm vorgeschlagene Weg gangbar ist oder nicht. Das gleiche Recht würde ich auch für meinen eigenen Versuch in Anspruch nehmen. Es geht darum, die angesichts des neuzeitlichen Weltbildes entstandenen Schwierigkeiten zu bedenken und die daraus für den Glauben notwendigen Konsequenzen zu ziehen, so daß dieser vom heutigen Menschen ohne sacrificium intellectus angenommen werden kann.

bewirken wird, aufgrund unserer historischen Kenntnisse nicht mehr möglich? Wir werden darauf zurückkommen müssen.

9. Die exegetische Arbeitsweise Lüdemanns - dargestellt am Beispiel der Traditionen vom Begräbnis Jesu

Zunächst aber soll unser Blick sich auf die Arbeitsweise Lüdemanns richten, weil diese ja über die Zuverlässigkeit seiner Ergebnisse zumindest mitentscheidet. Es kann dabei nicht darum gehen, unserem Autor hier etwas am Zeuge zu flicken - man kann seine Belesenheit und die Art und Weise, wie er auch die ältere Literatur in sein Urteil einbezieht, nur bewundern. Wir alle, die wir uns in unserem stillen Kämmerlein etwas ausdenken, müssen uns vielmehr der Kritik aussetzen, weil der Zustand der Exegese mit seiner Vielfalt einander widersprechender Urteile den Wissenschaftscharakter der ganzen Disziplin in Frage stellt. Insofern sind die folgenden Bemerkungen die eines kritischen Lesers, der sich durchaus bewußt ist, daß seine eigenen Äußerungen ebenfalls auf solche kritische Lektüre angewiesen sind, wenn Exegese wenigstens etwas mehr an Intersubjektivität und damit auch an Bedeutsamkeit innerhalb der Theologie zurückgewinnen will.

Bevor ich mich jedoch der Kritik zuwende, will ich zunächst wenigstens eine positive Einzelheit hervorheben, damit die Kritik nicht völlig unausgewogen im Raume steht. Im Gegensatz zu einer ganzen Reihe von Exegeten findet sich bei Lüdemann eine zutreffende Würdigung von literarischen Gattungen und deren Anwendungen. Kann man in der Literatur z. B. zu Wunderberichten die Ansicht finden, bestimmte Wunderberichte lehnten sich so nah an die Topik der Wundergeschichten an, daß *deswegen* mit einem historischen Kern dieser Geschichten nicht zu rechnen sei, so stellt Lüdemann m. E. völlig zu Recht fest: "Der Bericht über einen wirklich geschehenen Vorgang vollzieht sich oft in typischen Formen: Typik schließt Historizität ja nicht aus, hingegen können gerade wiederkehrende Abläufe des Historischen Erzähltypik hervorrufen". (79)

Wählen wir für die eher kritischen Ausführungen die Behandlung des Begräbnisses Jesu. Lüdemann geht die dieses betreffenden ntl Traditionen durch, wobei er sich zu Recht v. a. auf Mk stützt, aber auch Joh und der Apg einen hohen Stellenwert einräumt, insofern er hier von der Mk zugrundeliegenden Tradition unabhängige

Nachrichten findet. Von Mk als Ausgangspunkt zeichnet er zunächst die Tendenzen der Überlieferung nach, die Joseph von Arimathäa in immer größere Nähe zu Jesus bringt und die Würde der Bestattung Jesu immer mehr betont. Dabei fällt freilich schon auf, daß Lüdemann aus der Tatsache, daß Mk den Kauf von Leinen hinzufügt und daß in Mk 14,8 ein Hinweis auf eine nicht-erfolgte Totensalbung vorhanden ist, gleich auf eine unehrenhafte Bestattung des Leichnams Jesu schließt. Diese Folgerung erfolgt für meinen Eindruck etwas schnell, insofern die dem Mk-Bericht zugrundeliegende Tradition v. a. auf die Eilbedürftigkeit der Angelegenheit abhebt. Es ging nicht primär um eine ordentliche Versorgung des Leichnams Jesu, sondern zunächst einmal um die Wahrung und Heiligung des folgenden Sabbats. Wenn aber die Sorge um den Sabbat das leitende Motiv des Josef von Arimathäa gewesen ist, dann dürfte Josef nicht zufällig zu Pilatus gegangen sein, sondern weil er zu den Frommen in Jerusalem gehörte. Dann wird er aber auch die Beerdigung Jesu in den Grenzen des von der Zeit noch Möglichen im Rahmen des vom Gesetz Gebotenen gehalten haben. Auffällig ist schon hier, daß die Erwähnung des Namens des Josef von Arimathäa für Lüdemann keine große Bedeutung zu haben scheint.

Gravierender sind meine Einwände gegen die übrigen das Begräbnis Jesu und die Kreuzesabnahme betreffenden Erörterungen Lüdemanns. Obwohl ich mich im Ergebnis insgesamt wenig von ihm unterscheide, habe ich gegen seine Behandlung von Apg 13,29 und Joh 19,31-37 erhebliche Bedenken. Ich bin mir dabei bewußt, daß Lüdemann sich für seine Ansichten durchaus auf Literatur stützen kann, wenn z. T. auch nur auf wenige Autoren. Aber die Art und Weise, wie hier Ergebnisse erreicht werden, finde ich doch ziemlich einseitig und wenig argumentativ. Die der Ansicht Lüdemanns widersprechenden Meinungen und ihre Gründe hätten hier wesentlich intensiver berücksichtigt werden müssen. Als Beispiel: Zu Joh 19,31-37 wird ausgeführt, daß hier redaktionell Ps 34,21 (Ex 12,46) und Sach 12,10 in Handlung umgesetzt werden. Dann wird fortgefahren: "Doch ist damit nicht die ganze Erzählung als redaktionelle Bildung erwiesen, wie bereits Theodor Keim zeigen wollte. Als Traditionskern bleibt vielmehr die Bitte der Juden an Pilatus übrig, daß Jesu Leichnam vom Kreuz abgenommen werden möge (V. 31), wobei gegen eine rein redaktionelle Bildung und für die Existenz einer Überlieferung auch spricht, daß ihrem Wunsch in dieser Erzählung gar nicht entsprochen wird.

V. 38 setzt mit der Bitte Josephs ganz neu ein, und er selbst (nicht die Römer) nimmt den Leichnam vom Kreuz ... Der V. 31ff ursprünglich abschließende Teil der Erzählung über die 'Bestattung' Jesu wurde offenbar weggebrochen und an seine Stelle trat später der (andere) Bericht einer Grablegung durch Joseph und Nikodemus (Joh 19,38-42)." (56) Diesem Traditionskern soll dann auch Apg 13,29 entsprechen, wo die Kreuzabnahme von den Juden ausgesagt ist und wo Lüdemann die gleiche eigenständige Überlieferung findet. Unbeschadet der Probleme, die beide Stellen mit sich bringen und die ich hier nicht ausführlich behandeln kann, ist der Schluß auf "eine eigenständige Überlieferung ..., die der hinter Joh 19,31-37 entspricht" in Apg 13,29 m. E. schon deswegen sehr gewagt, weil nach Joh 19,31 ja die Römer den Leichnam Jesu nach Vornahme des Crurifragiums abnehmen sollen, während dies nach Apg 13,29 die Juden getan haben. Auch die verkürzende und variierende Sprechweise des Lk, die sich gerade in den Reden der Apg findet und in allen neueren Kommentaren zur Apg hervorgehoben wird[18], läßt Lüdemann hier völlig beiseite[19]. Ebenso ist die Art und Weise, wie dann das Alter der beiden ermittelten Traditionslinien gegeneinander abgehoben wird, m. E. zu hinterfragen.

Am meisten aber fällt auf, daß Lüdemann im Zusammenhang der Frage nach dem Grab Jesu die Bedeutung des Namens des Josef von Arimathäa für das Problem der zugrundeliegenden Historizität nicht eigentlich thematisch macht. Dieser Name stellt doch so etwas wie

---

[18] Vgl. zum Problem der von den Juden handelnden Aussagen in der Apg noch *S. G. Wilson*, The Jews and the Death of Jesus in Acts, in: *P. Richardson* (Hrsg.), Anti-Judaism in Earls Christianity, Vol. 1: Paul and the Gospels (Studies in Christianity and Judaism 2) Waterloo 1986, 155-164; *H. Merkel*, Israel im lukanischen Werk, in: NTS 40 (1994) 371-398. - In seinem Werk "Das frühe Christentum nach den Traditionen der Apostelgeschichte. Ein Kommentar" Göttingen 1987, 159 hatte *Lüdemann* Apg 13,29 noch mit der Bemerkung eingeführt: "Im folgenden sei nur das angeführt, was sicher als lukanisch bezeichnet werden kann" und dazu ausgeführt: "V. 29: Die erste Vershälfte entspricht Lk 2,39, die zweite berichtet von der Grablegung. Damit ist die Zeit zwischen Tod und Auferstehung *erzählerisch* aufgefüllt (vgl. 1 Kor 15,4a)." (160) Dementsprechend wird V. 29 dort in den Abschnitten III Traditionen (163f) und IV Historisches (164) auch nicht behandelt. Grundsätzlich hatte Lüdemann in diesem Werk zu den Reden der Apg geurteilt: "Wir setzen im folgenden voraus, daß die Reden der Apg in der jetzigen Form aus der Feder des Redaktors Lukas stammen. ... Damit ist nicht ausgeschlossen, daß das in der Regel nicht behandelte Redenschema (...) und Einzelelemente der Rede auf Traditionen zurückgehen." (53)
[19] Vgl. im Gegensatz dazu die Überlegungen bei *Lüdemann* 74ff zu den drei Schilderungen des paulinischen Damaskuserlebnisses in der Apg.

61

einen erratischen Block dar, dessen Erfindbarkeit zwar nicht völlig unmöglich ist, aber doch einem anderen Muster unterliegt als die meisten der anderen, sowohl in der neutestamentlichen als auch in der nachneutestamentlichen Tradition eindeutig sekundär zugewachsenen Namen.

10. Der Glaube kommt vom Hören - nicht aus der wissenschaftlichen Rekonstruktion des historischen Jesus

Wir haben schon gesehen, daß Folge der Beschäftigung mit der Auferstehung bei Lüdemann eine ganz starke Betonung des historischen Jesus ist. Man muß sich den entscheidenden Satz noch einmal genau anschauen: "Hier am historischen Jesus, wie er mir durch die Texte vorgegeben ist und durch historische Rekonstruktion als Person begegnet, fällt also die Entscheidung des Glaubens, nicht am auferstandenen Christus, wie ich ihn mir erwünscht habe oder wie er z. B. als Symbol des Selbst archetypisch allen Menschen zugänglich ist. Allerdings *glaube* ich, daß dieser Jesus durch den Tod nicht der Vernichtung anheimgegeben wurde ..." (201).

Sind das die einzigen Alternativen? Und woher kommt er nun doch plötzlich, der Glaube an den durch den Tod nicht vernichteten Jesus, der sich in Lüdemanns vorangehender historischen Rekonstruktion so stark verflüchtigt hatte? Und warum ist das Wort 'glauben' hier kursiv gedruckt? Handelt es sich bei diesem Glauben um einen anderen als den unmittelbar zuvor genannten, der sich der Rekonstruktion des historischen Jesus verdankt?[20] Als einer, der sich in ähnlichen Feldern bewegt, habe ich für Lüdemanns Aussagen an dieser Stelle durchaus Verständnis. Wenn aber der Zusatz "wie ich ihn mir erwünscht habe" die Auferstehung und die Visionen als reines Wunschdenken bezeichnen soll - ich bin mir da nicht absolut sicher! -, so meine ich, daß diese Konsequenz ebenso überzogen ist, wie das Festhalten am (geistigen) Überleben Jesu hier plötzlich und völlig überraschend kommt.

---

[20] Lüdemann hat in der Diskussion klargestellt, daß die historische Rückfrage nach Jesus seiner Meinung nach nicht zum Glauben hinführt, sondern daß diese schon vom Glauben her kommt und der Glaube sich aufgrund unserer Art zu denken an den Ergebnissen der historischen Rückfrage bewähren muß. In diesem Sinne verstanden, kann ich den Ausführungen durchaus zustimmen.

Ich meine, wir sollten Visionen nicht nur als Projektionen, sondern auch als Erfahrungen verstehen, als Erfahrungen ganz verdichteter Art, in denen Wahrheiten aufleuchten, die eben nur erfahren und nicht diskursiv dargelegt oder die in ihrer Wahrheit gar bewiesen werden können. Vielleicht ist es aber auch besser, in solchen Erfahrungen, und nicht nur in dem Abschiedsschmerz der Zurückgebliebenen, die Ursache der Visionen zu finden. Diese Erfahrungen sind personaler Art und können schon aufgrund dieser Tatsache mit anderen, besser beschreibbaren Erfahrungen wie z. B. einem Verkehrsunfall nicht verglichen werden. Diese Nicht-Beschreibbarkeit signalisiert aber nicht etwa eine Minderwertigkeit gegenüber den beschreibbaren Erfahrungen, sondern deutet den personalen, also den die ganze Person tangierenden Charakter dieser Erfahrungen und damit deren besonderen Rang an[21].

Solche Erfahrungen lagen den Visionen nicht nur der Primärzeugen zugrunde - und es kommt ja sicher nicht von ungefähr, daß alle, die solche Erscheinungen hatten, bereits über Erfahrungen mit dem Glauben, den Jesus verkündigt hatte, sei es nun positiv (Petrus) oder negativ (Paulus), verfügten. Diese Erfahrung war zunächst einmal eine solche mit Jesus. Deswegen heißt es ja auch sehr bald: "*Er* ist auferstanden". Sie ist aber gleichermaßen eine Aussage über Gott - und diese Form der Auferweckungsrede dürfte ja sogar die ältere gewesen sein. Wenn aber das Gottesbild Jesu sich von dem des damaligen Judentums wenigstens etwas unterschied, was anzunehmen wir durchaus Anlaß haben, und wenn, wie Lorenz Oberlinner gezeigt hat, "die Besonderheit des Wirkens und der Verkündigung Jesu" im Kontext der Auferstehungsreflexion grundsätzlich mitzubedenken ist[22], dann ist die Erfahrung des Gottes, der Jesus als Gottesboten nicht im Tode läßt, auch eine Erfahrung mit Jesu Botschaft von Gott. Insofern möchte ich erneut wenigstens fragen: Wäre es berechtigt, die Erfahrung, daß diese von Jesus verkündete Botschaft von Gott die Jünger trägt, daß also Gott so ist, wie Jesus ihn verkündet hat und nicht so, wie ihn seine Gegner angesehen haben, und daß diese Erfahrung auch trotz der anscheinenden Verfluchung dieses Jesus durch Gott aufgrund des

---

[21] Wer sich nur ein wenig in der Geschichte der Freiburger Theologischen Fakultät auskennt, wird diese Äußerung direkt zuzuordnen in der Lage sein.

[22] *L. Oberlinner*, Zwischen Kreuz und Parusie. Die eschatologische Qualität des Osterglaubens, in: *ders.* (Hrsg.), Auferstehung Jesu - Auferstehung der Christen. Deutungen des Osterglaubens (QD 105) Freiburg 1986, 63-95, hier: 66.

Kreuzestodes und der darin anscheinend deutlich werdenden Falsifizierung der Botschaft Jesu gilt? Wäre es berechtigt, diese Erfahrung als Erfahrung der Auferstehung zu bezeichnen und anzunehmen, daß es dies gewesen ist, was den Jüngern sowohl in Visionen als auch außerhalb von solchen nach Ostern aufgeleuchtet ist?

III

"Gott [aber] hat ihn auferweckt" - Der Anspruch eines frühchristlichen Gottesbekenntnisses

Lorenz Oberlinner, Freiburg

Zu den ebenso entscheidenden wie umstrittenen Fragen im Zusammenhang mit dem Thema "Auferstehung Jesu" gehört die nach der Beziehung dieses Bekenntnisses der Jüngergemeinde nach dem Karfreitag zur Situation der Verkündigung und des Wirkens Jesu selbst. Die mit dem Osterglauben bedingte Notwendigkeit einer Differenzierung betrifft zwei Ebenen: (1) Das Bekenntnis der (eine nicht genau zu bestimmende Zeit) nach dem Karfreitag in Jerusalem neu versammelten Gemeinschaft von Frauen und Männern bezieht sich auf die Person des Jesus von Nazaret; sie sprechen nun aber von ihm als einer himmlischen, bei Gott weilenden Heilbringergestalt. (2) In der Jesusüberlieferung wird von diesen Männern und Frauen einerseits berichtet, daß sie Jesus während seines Wirkens bis zum (letzten) Aufenthalt in Jerusalem und - zum Teil! - bis zu seiner Hinrichtung begleitet haben; und es sind im wesentlichen dieselben Personen, die später mit dem Bekenntnis auftreten, daß Gott diesen Jesus auferweckt hat. Jüngerschaft bedeutet: Anerkennung des Anspruches Jesu, daß in seinem Wort und in seinem Handeln die Gottesherrschaft nahegekommen ist (vgl. Mk 1,15), ja daß sie mit ihm anfanghaft da ist (vgl. Lk 11,20). Da diese Entscheidung der Jünger und Jüngerinnen die Anerkennung dieses heilsmittlerischen Anspruches zum Inhalt hat, deshalb ist auch schon die Situation der Verkündigung Jesu unter dem Gesichtspunkt des Jüngerglaubens in den Blick zu nehmen.

Es liegt somit Kontinuität und Diskontinuität auf diesen beiden personalen Ebenen vor, bei Jesus und bei der Gruppe der Jüngergemeinschaft. Unter diesem Aspekt der doppelten Beziehung von Kontinuität und Diskontinuität sollen in Anknüpfung an den von G. Lüdemann vorgelegten Entwurf einer historisch-empirisch ausgerichteten Rückfrage "nach dem 'Wie' der 'Auferstehung'

Jesu"[1] ein paar Gedanken zum Thema "Osterglauben" vorgestellt werden.

I. Der "geschichtliche Jesus" als Grund und Inhalt des Osterglaubens

Die für die historische Rückfrage nach der Entstehung und dem Inhalt des Osterglaubens bei Lüdemann grundlegende Verlagerung sowohl des Glaubensinhaltes als auch der Glaubensgewißheit auf den "historischen Jesus" provoziert zwei grundsätzliche Einwände.

1. Der ersten Anfrage liegt ein in der Exegese breit diskutiertes Problem zugrunde: die Rückfrage nach dem "historischen Jesus", die Möglichkeiten und Schwierigkeiten einer solchen Rückfrage, und nicht zuletzt die Frage nach deren theologischer Relevanz. Es können und brauchen hier nicht alle Probleme angesprochen oder gar breit diskutiert werden; es geht einzig um die grundsätzliche Problemstellung. Es gilt eigentlich für jeden Theologen, der sich auf den historischen Jesus beruft und ihn zum Garanten oder gar zum Gegenstand des Glaubens erklärt, zu präzisieren, wie er zu diesem Jesus kommt. Die Einsicht in den kerygmatischen Charakter unserer Jesus-Quellen, also der Evangelien, kann man heute nicht mehr als eine nicht weiter belastende Selbstverständlichkeit übergehen. Wenn es also bei Lüdemann heißt: "Hier am historischen Jesus, wie er mir durch die Texte vorgegeben ist und durch historische Rekonstruktion als Person begegnet, fällt also die Entscheidung des Glaubens, nicht am auferstandenen Christus, wie ich ihn mir erwünscht habe und wie er z. B. als Symbol des Selbst archetypisch allen Menschen zugänglich ist" (201), dann werden in dieser Formulierung entscheidende Probleme, die mit dem Verweis auf den "historischen Jesus" gegeben sind, überdeckt bzw. ignoriert. Die Formulierung "am historischen Jesus, wie er mir durch die Texte vorgegeben ist", könnte der Meinung Vorschub leisten, die Evangelien wären wirklich am historischen Jesus, also an einer den historischen Gegebenheiten verpflichtenden Darstellung der Verkündigung und des Wirkens dieses Jesus inter-

---

[1] G. Lüdemann, Die Auferstehung Jesu. Historie, Erfahrung, Theologie, Göttingen 1994, 26; zur Begründung der "Notwendigkeit einer erneuten Arbeit über die Auferstehung Jesu" 20-32. Seitenangaben im Text beziehen sich auf diese Monographie.

essiert gewesen. Bereits der älteste Evangelist gibt uns aber im ersten Vers, der erzählerische Einführung des Abschnittes zum Täufer und zugleich programmatische Eröffnung ist, zu verstehen, wie er die folgende Darstellung verstanden und folglich auch von den Lesern rezipiert wissen will: sie ist εὐαγγέλιον, "Frohbotschaft". Und wenn wir bedenken, in welcher Weise in der Zeit des Markus dieser Begriff "Evangelium" bereits in der christlichen Tradition verankert war, wie er auch in der Verkündigung etwa des Paulus bereits inhaltlich gefüllt worden war, dann ist v. a. *die Differenz zwischen dem "Text"*, d. h. der Botschaft des Evangelisten, die zugleich Glauben an diesen Jesus bezeugen als auch vermitteln will, *und dem historischen Jesus* zu betonen.

Die Bedenken werden noch verstärkt, wenn man die von Lüdemann vorgenommene Art und Weise der Differenzierung betrachtet. Auf der einen Seite steht der Rekurs auf den "historischen Jesus"; und dieser wird in Verbindung gebracht mit "Texten" und dem Begriff der "historischen Rekonstruktion". Auf der anderen Seite steht der "auferstandene Christus"; und dieser wird verknüpft mit der vielsagenden Formel "wie ich ihn mir erwünscht habe", und er wird bezeichnet als "Symbol des Selbst". Bleiben wir bei der qualifizierenden Aussage "wie ich ihn mir erwünscht habe". Bei einem Bibliker muß eine solche Bestimmung etwas überraschen; denn ein Blick in die Exegesegeschichte zeigt, daß die Gefahr einer derartigen Einschränkung historischer Objektivität des Fragens bis heute gerade die Geschichte der Leben-Jesu-Darstellungen prägt, so daß mit einem solchen Vorbehalt unmöglich ein Unterscheidungsmerkmal für die Beschäftigung mit dem historischen Jesus und dem auferstandenen Christus gewonnen werden kann. Beides sind ja Größen, die uns einzig und allein über die Quellen zugänglich sind; und *beide* können deshalb auch als Ergebnis der eigenen Wünsche erscheinen!

2. Neben diesem methodologischen Einwand einer zu wenig problematisierten Berufung auf den historischen Jesus - und gerade heute scheint eine solche Problematisierung wieder besonders nötig - ist das Faktum zu bedenken, daß dieses Postulat, daß die Glaubensentscheidung "nicht am auferstandenen Christus" fällt, das gesamte Zeugnis des Neuen Testaments gegen sich hat. Die Berufung auf die Möglichkeit bzw. die Notwendigkeit einer eigenen Glaubensentscheidung heute kann aber diese unsere Quellen und ihr Verständnis von Jesus nicht einfach übergehen. Und an diesem Punkt liegt m. E. ein grundsätzliches hermeneutisches Problem,

nämlich in der Frage, wie biblische Texte zu lesen sind. Daß die historisch-kritische Forschung z. T. in Aporien steckt, daß sie in manchen Bereichen der Textanalyse zwar zur Erhebung von Fragen und Problemen führt und daß es ihr nicht immer gelingt, entsprechende Lösungen zu präsentieren, die nach allen Seiten hin als "gesichert" begründet werden können[2], ist gar nicht zu bestreiten. Zwei Auswege aus diesem Dilemma scheinen sich anzubieten:

(1) Man erweitert das Methodenrepertoire in der Hoffnung, dadurch zu neuen Einsichten geführt zu werden. In dieser Linie ist wohl der tiefenpsychologische Zugang zu biblischen Texten von E. Drewermann anzusiedeln. (2) Oder aber es wird die Fragerichtung verändert, und zwar mit dem Ziel, einer veränderten Glaubenssituation auch mit einer neuen Orientierung des Glaubens bzw. des Glaubensgegenstandes Rechnung zu tragen. Einer solchen Neubestimmung des Objektes entspricht die bei G. Lüdemann formulierte Frage: "Oder sollte sich ein zeitgemäßer Glaube nicht viel mehr als bisher an Jesus selbst orientieren?" (15) Für einen Betrachter der Situation der katholischen Theologie und gewisser Tendenzen in ihr kann sich da sogar die Frage stellen: *noch* mehr[3]? Diese bei G. Lüdemann anvisierte Gewichtsverlagerung auf den historischen Jesus hin enthält m. E. zwei Gefahren: (a) Der historische Jesus bzw. besser das, was aus der Interessenlage heutiger Anthropologie und Theologie von diesem Jesus als wichtig oder hilfreich erscheint, wird entsprechend, d. h. in Relation zur Fragestellung, rekonstruiert. Und wie unterschiedlich, ja gegensätzlich solche Rückfragen nach dem historischen Jesus ausfallen können, das hat uns nicht nur die Leben-Jesu-Literatur insbesondere des 19. Jahrhunderts gezeigt, über die umfassend

---

[2] Mit *G. Lüdemann* ist "die eigentliche Aufgabe historischer Arbeit" darin zu sehen, "die sachgemäßeste Hypothese zu erarbeiten und dabei Wahrscheinlichkeiten klar abzuwägen. Der Wert einer Rekonstruktion entscheidet sich daran, ob die *besten* Hypothesen zugrunde liegen, d. h. solche, die die meisten (und die wichtigsten) offenen Fragen beantworten bzw. vorhandene Probleme lösen und die wenigsten (oder nur schwache) Gegenargumente provozieren" (28).

[3] Dabei ist nicht nur an gewisse Tendenzen zu denken, die "klassische Christologie" durch eine exklusive "Jesulogie" zu ersetzen (vgl. dazu etwa *K. Lehmann*, Die Frage nach Jesus von Nazaret, in: Handbuch der Fundamentaltheologie. Bd. 2 Offenbarung, Freiburg 1985, 122-144, hier: 130f), sondern v. a. an eine verbreitete Argumentationsweise, daß nämlich für die Autorisierung zentraler theologischer und ekklesiologischer Fragen in z. T. einseitiger Auswahl Worte und Taten Jesu in Anspruch genommen werden, ohne daß exegetische Urteile über deren Authentizität oder geschichtliche Bedingtheit Beachtung finden.

A. Schweitzer in seiner "Geschichte der Leben-Jesu-Forschung" Rechenschaft abgelegt hat[4] und zu der E. Gräßer feststellt: "Man suchte und fand bei dem irdischen Jesus jeweils das, was man gerade wollte."[5] Dafür gibt es bis in die Gegenwart Beispiele, auf welche die Bewertung von E. Gräßer uneingeschränkt zutrifft[6]. Letztlich verdrängt dann ein solches "Bild" von Jesus - dessen Bedeutung in vielfacher Hinsicht gar nicht geleugnet zu werden braucht - den Christus, also genau die Gestalt, um deretwillen unsere neutestamentlichen Texte geschrieben und als kanonische Schriften weitergegeben worden sind. (b) Gerade auch im Blick auf die anstehende Rückfrage nach dem biblischen Zeugnis über den Auferstehungsglauben ist doch charakteristisch eine große Vielfalt in den Bekenntnisformulierungen. Eine Orientierung und Ausrichtung an der Person Jesu, an seinem Leben und Sterben, an seinem Wirken und an seiner Botschaft ist zweifellos berechtigt und notwendig. Doch diese historische Rückfrage kann nicht zum exklusiven Maßstab erhoben werden, und sie kann unmöglich die Stellungnahme zu den Glaubensentscheidungen der christlichen Gemeinden ersetzen. Natürlich ist das auch nicht das Anliegen Lüdemanns. In dem von ihm ausdrücklich festgehaltenen Interesse, den historischen Jesus als den entscheidenden Ort des Glaubens anzusetzen, ist aber doch die *Tendenz* miteingeschlossen, daß die Pluralität der Glaubensaussagen zu Jesus *Christus*, einschließlich der darin mitgegebenen Spannungen, Anstößigkeiten und Probleme verloren geht oder zumindest im Vergleich zur (scheinbaren!) Eindeutigkeit der Person Jesu unterbewertet wird.

---

[4] ¹1906; ⁶1950; Siebenstern-TB 77/78, München 1966.

[5] *E. Gräßer*, Die Frage nach dem historischen Jesus. Bilanz einer Debatte, in: Altes Testament und christliche Verkündigung. FS A. H. J. Gunneweg, Stuttgart 1987, 271-286, 272.

[6] So lautet das Urteil von *U. Ruh* zu einigen Jesusbüchern aus jüngerer Zeit: "Wo die historisch-kritische Rückfrage nach der Umwelt, der Botschaft und dem Weg Jesu diskreditiert oder vernachlässigt wird, tritt an die Stelle des jenseits theologisch-dogmatischer Verengung und historischer Reduktion angezielten 'wirklichen Jesus' sehr schnell der Jesus, der den jeweiligen religiösen und psychischen Bedürfnissen, Wünschen, Interessen entgegenkommt: Jesus als der große Freund und Schüler der Frauen, der allen anderen überlegene Helfer und Therapeut" (Ein anderer Jesus? Neuere Jesusbücher zwischen Psychologie und Spiritualität, in: *A. Raffelt* [Hrsg.], Begegnung mit Jesus? Was die historisch-kritische Methode leistet, Düsseldorf 1991, 13-28, hier 25).

II. Der Glaube an die Auferweckung Jesu als Glaube an das Handeln Gottes am Gekreuzigten

1. Als Ausgangspunkt und zugleich als Leitfaden sei ein Stück aus der Apg gewählt, näherhin ein kurzer Abschnitt aus der Pfingstpredigt des Petrus (Apg 2,14-36). So sicher dieses Redestück im Anschluß an die Schilderung der Geistherabkunft auf die in Jerusalem versammelte Gemeinde in der vorliegenden Form nicht eine authentische Petrus-Predigt wiedergibt, sondern als Komposition und damit auch als Verkündigung des Verfassers der Apostelgeschichte zu gelten hat, also ein relativ spätes Stadium der neutestamentlichen Verkündigung repräsentiert, so gewiß ist auch, daß in diesem Text ältere Traditionselemente enthalten sind. Solche Elemente älterer Tradition liegen vor z. B. in den VV. 22-24: "(22) Israeliten, hört diese Worte: Jesus, den Nazoräer, einen Mann, den Gott vor euch beglaubigt hat durch Machttaten, Wunder und Zeichen, die Gott durch ihn in eurer Mitte gewirkt hat, wie ihr selbst wißt, (23) diesen, der nach Gottes festgesetztem Willen und Ratschluß ausgeliefert wurde, habt ihr durch die Hand von Gesetzlosen ans Kreuz geheftet und getötet. (24) Ihn hat Gott auferweckt und von den Wehen des Todes befreit; es war ja unmöglich, daß er von ihm festgehalten wurde."[7]

Der Text nimmt Bezug auf drei Stationen des Weges Jesu: sein Wirken, seine Tötung und seine Auferweckung. Mit J. Roloff läßt sich die hier vorliegende Art des christologischen Bekenntnisses mit der spannungsvollen Zuordnung der gegensätzlichen Aussagen zu Jesus und seinem Geschick charakterisieren als "Kontrastschema" (vgl. außerdem Apg 3,13-15; 4,10; 5,30f; 10,39f)[8]. Bei der vorliegenden Aneinanderreihung der verschiedenen Stationen des Weges Jesu liegt das vorrangige Interesse - im Unterschied etwa zu den soteriologisch-finalen Bekenntnissätzen mit der ausdrücklichen Betonung der Einheitlichkeit des Handelns Gottes in Jesu Tod und bei seiner Auferweckung (wie etwa Röm 4,25 oder bei der ersten

---

[7] Übersetzung nach *A. Weiser*, Die Apostelgeschichte. Kapitel 1-12, ÖTBK 5/1, Gütersloh 1981, 89. Für Einzelfragen zu diesem Text ist auf die Kommentierung von Weiser zu verweisen.

[8] *J. Roloff* beurteilt dieses "Kontrastschema" als "das älteste Deutungsschema ..., mit dessen Hilfe die nachösterliche Gemeinde den Sinn des Sterbens Jesu zu ergründen suchte" (Neues Testament, Neukirchen 1977, 185f); dazu auch *L. Schenke*, Die Urgemeinde. Geschichtliche und theologische Entwicklung, Stuttgart 1990, 24f.

Leidensankündigung Mk 8,31 in der Formulierung mit δεῖ, welches sowohl auf die Tötungs- wie auch auf die Auferstehungsaussage zu beziehen ist) - darauf, die Gegensätzlichkeit dessen, wie Menschen an Jesus gehandelt haben, zu dem, wie Gott gehandelt hat, zu betonen. Im Kreuz zeigen sich Feindschaft und Ablehnung der Menschen gegenüber Jesus, seinem Wort und seinem Wirken und damit auch gegenüber seinem Anspruch. Dieses Handeln der Menschen erfährt durch Gott eine Korrektur bzw. eine Wende. Die drei aufeinanderfolgenden Stadien bilden also eine Abfolge von Geschehnissen, die in Spannung zueinander stehen. Andererseits betont das Bekenntnisstück die Einheitlichkeit der drei Aussagen, die dadurch gegeben ist, daß auf allen drei Stufen Gott als Handelnder eingeführt wird. Betrachten wir die drei Ereignisse für sich, so wird deutlich, daß insbesondere in der dritten Aussage, daß er ihn auferweckt hat, Gott als handelndes Subjekt unverzichtbar ist. In den beiden anderen Fällen wird im Unterschied dazu lediglich gesagt, daß das, was Jesus getan hat und das, was die Israeliten durch die Gesetzlosen (d. h. die Heiden) gegen Jesus unternommen haben, dem Willen Gottes entspricht: Gott hat durch Jesus gewirkt, er hat ihn beglaubigt (V. 22); und das Verhalten der Menschen in ihrer Aktion gegen Jesus entspricht "Gottes beschlossenem Willen und Vorauswissen" (V. 23). Traditionsgeschichtlich gesehen steht am Ausgangspunkt die Auferweckungsaussage; von ihr her wird dann in die beiden anderen Bereiche (das Leben und die Verkündigung Jesu sowie sein Sterben) eingetragen, daß sich darin der (Heils-)Wille *Gottes* zeigt.

Bemerkenswert ist, daß eine soteriologische Deutung des Todes fehlt, was allerdings bedingt ist durch das zugrundeliegende Kontrastschema. Dennoch kann es keinen Zweifel geben, daß wir mit Recht auch von einer Bekenntnisformel sprechen. Was ist dann aber Gegenstand des Bekenntnisses? Ganz allgemein formuliert läßt sich sagen: Inhalt des Bekenntnisses ist, daß Gott in Jesus Christus gehandelt hat. Und dieses Handeln Gottes wird in den drei geschilderten Stufen dargestellt. Die Ereignisse stehen für sich betrachtet in Gegensatz zueinander: Der Tod Jesu, seine Hinrichtung, steht in Gegensatz zu seinem machtvollen Wirken; und die Auferweckung steht in ebenso massivem Widerspruch zu seiner Tötung. In allem handelt Gott; aber in allem handelt Gott auf je eigene Weise.

Unter offenbarungsgeschichtlicher Betrachtungsweise erscheint es wichtig, folgendes festzuhalten: Der Verfasser der Apostelgeschichte unterscheidet in diesen Versen, die im Rahmen der

Pfingstpredigt des Petrus das christologische Bekenntnis explizieren sollen, mehrere Stufen des *Wirkens Gottes* in Jesus, die jeweils nicht nur unterschieden werden *können*, sondern die aufgrund der jeweils als Subjekt handelnden Akteure sogar unterschieden werden *müssen*. Es wird also sowohl die Einheitlichkeit des als Offenbarung Gottes verstandenen Gesamtgeschehens als auch die Unterschiedlichkeit der einzelnen Akte betont. Das führt zu folgender Paraphrasierung: Gott handelt in Jesus *zuerst* in dessen Wundern und Zeichen, *dann* in seinem (durch die Juden inszenierten und durch die Heiden in die Tat umgesetzten) Tod, und *abschließend* in seiner Auferweckung. Folgt man dieser Zuordnung, so wird erkennbar, daß es nicht möglich ist zu behaupten, der Tod sei ein Teil des Lebens und Wirkens Jesu in dem hier vorgestellten spezifischen Sinn der "Beglaubigung" durch Gott, es bestehe also eine Einheit von Wirken und Tod; es muß ja gerade auch im Blick auf den gewaltsamen Tod eigens betont werden, daß dieses gegen Jesus gerichtete Handeln der Menschen dem Willen Gottes entspricht. Von diesem Tod gilt aber auch, daß er Bestandteil der christlichen Verkündigung nur deshalb sein kann, weil er verknüpft ist mit dem Bekenntnis, daß er dem Willen Gottes entspricht. Und in der hier zugrundeliegenden Form des Kontrastschemas wird diese Entsprechung formuliert in dem Verweis auf die von Gott in der Auferweckung herbeigeführte Wende.

Blicken wir noch einmal auf den Tod, so hat er hier die Bedeutung einer Zäsur, eines Bruches. Gegenüber dem Leben Jesu, welches gekennzeichnet ist durch die Demonstration seiner Vollmacht, bleibt Jesus in seinem Sterben passiv; er ist Betroffener, Opfer der Macht derer, die ihn ausliefern, kreuzigen und töten. Der Tod ist das Zeichen seiner Ohnmacht. Um diesen Tod, der für sich gesehen nicht nur als Zeichen der Ablehnung, sondern zugleich als Infragestellung, ja als Widerlegung des von ihm erhobenen Anspruches gelten kann, als dem Willen und Ratschluß Gottes entsprechend annehmen zu können, bedurfte es entsprechend der hier zugrundeliegenden Zuordnung der Ereignisse eines neuen offenbarenden Handelns Gottes, hier formuliert als Auferweckung.

Diese drei Verse aus der Pfingstpredigt des Petrus geben in zweifacher Hinsicht wichtige Hinweise für den Stellenwert des Bekenntnisses zur Auferweckungsaussage in Sicht auf das Wirken und den Tod Jesu:

(1) Es geht im Blick auf das Wirken Jesu, seinen Tod und das Bekenntnis zu seiner Auferweckung zuerst einmal um die Frage

nach Gott bzw. um das Bekenntnis zu Gott. Es steht außer Zweifel, daß im Zentrum der Verkündigung Jesu die Botschaft von der Gottesherrschaft steht, die in spezifischer Weise dadurch akzentuiert ist, daß Jesus den Anspruch erhebt, daß in seinem Wort und Tun diese Gottesherrschaft zumindest anfanghaft, aber gleichzeitig eschatologisch-endgültig, Wirklichkeit wird. Was Jesus tut und was er sagt, das ist von Gewicht im Blick auf Gott. Diese Bindung an Gott, die sowohl Jesu Botschaft wie sein Wirken prägt und die damit sein ganzes Leben festlegt, gilt es dann auch in der Situation seines Leidens und Sterbens zu bedenken.

Das Kreuz ist auf dem Hintergrund der Gottesreichverkündigung Jesu nicht ausschließlich und nicht in erster Linie ein ihn persönlich betreffendes Problem, sondern es ist angesichts des von ihm geltend gemachten Anspruches und angesichts sowohl des Glaubens, den seine Botschaft gefunden hat, als auch angesichts des Widerstandes und der Feindschaft, mit der er konfrontiert wurde, ein "öffentliches" Problem. Seine Hinrichtung, die zwar durch den römischen Prokurator mit einem politisch begründeten Urteil erfolgte, die aber ganz sicher als entscheidende Initiatoren Mitglieder der obersten jüdischen Instanz des Synedriums voraussetzt, kennt eine große Zahl von Betroffenen. An erster Stelle ist hier zu nennen Gott. Weil in der Mitte der Verkündigung Jesu Gott und sein Heilswille stehen, deshalb ist die alles entscheidende und zentrale Frage, die mit dem Karfreitag sich stellt, die Frage nach Gott. Und es liegt in der Konsequenz, daß die mit dem Karfreitag sich auftuende Kluft zwischen dem Anspruch Jesu auf der einen Seite und dem Faktum des Kreuzes auf der anderen Seite von denen, die sich nach dem Karfreitag in einer von Simon Petrus initiierten und vom Zwölferkreis getragenen Sammlungsbewegung zu einer neuen Glaubensgemeinschaft zusammenschließen, überbrückt wird mit dem Osterbekenntnis, welches eine Aussage über Gott macht.

Letztere Behauptung läßt sich auf recht breiter Basis aus dem Neuen Testament belegen. Bei den ältesten Formulierungen des Osterglaubens, den sogenannten Kurzformeln des Glaubens, aber auch bei bekenntnishaften bzw. hymnischen Ausgestaltungen ist nicht nur die Vielfalt der verwendeten Aussagen auffällig (Auferweckung: Röm 8,11; Gal 1,1; 1 Thess 1,10; Erhöhung: Phil 2,9; Einsetzung zum Sohn Gottes: Röm 1,4; Rechtfertigung: 1 Tim 3,16); bemerkenswert ist, daß jeweils gesprochen wird vom Handeln Gottes an Jesus bzw. am Gekreuzigten. Bei aller Unterschiedlichkeit in der Verwendung religionsgeschichtlicher Vorgaben in den verwendeten Motiven zur Formulierung des Glaubens - allen Formen ist gemeinsam das Bekenntnis, daß *Gott* nach dem Tod Jesu in einer besonderen, außerordentlichen Weise an diesem gekreuzigten Jesus gehandelt hat. Die Kontinuität von der Verkündigung Jesu zum Glauben der nachösterlichen Gemeinde liegt im Gottesbekenntnis; und dieses *Gottesbekenntnis* hat zum Inhalt, daß Gott an Jesus nach dessen Tod gehandelt und ihn als Heilsmittler eingesetzt hat. Gegen die Einwände von J. Kremer[9] ist also (mit P. Hoffmann u. a.) davon auszugehen, daß uns die Rede von der Auferweckung Jesu in der neutestamentlichen Überlieferung nicht nur als eine "Glaubensaussage" gegenübertritt, "die Gottes Handeln an dem von Israel abgelehnten und von den Römern gekreuzigten Jesus bezeugt", sondern daß diese Wendungen, v. a. in der partizipialen Gottesprädikation, in denen Gott als Subjekt des Handelns an Jesus genannt und letzterer noch nicht christologisch qualifiziert wird ("Gott, der ihn/Jesus aus Toten erweckte", θεὸς ὁ ἐγείρας αὐτὸν/ Ἰσοῦν ἐκ νεκρῶν, Röm 4,24; 8,11; 2 Kor 4,14; Gal 1,1; Kol 2,12; Apg 13,33; 17,31; Hebr 13,20), als älteste Gestalt dieses österlichen Bekenntnisses gelten dürfen[10].

(2) Aus dieser Sicht der Theologie der frühen Gemeinde hat das Bekenntnis zur Auferweckung Jesu im Vergleich zur Gottesverkündigung Jesu einen qualitativ anderen, neuen und erst jetzt, nach dem Karfreitag möglichen Inhalt. Der Kreuzestod Jesu ist letztendlich für Jesus und auch für die Männer und Frauen seines Jüngerkreises deshalb die große Krise, weil es dabei um Gott und um seine Vollmacht geht, und weil angesichts des Kreuzes die Frage, ob Jesus zu Recht sich auf Gott berufen hat, auf den ersten Blick negativ entschieden war[11]. Unter diesem Gesichtspunkt ist G. Lüdemann durchaus zum Teil recht zu geben, wenn er (263 Anm. 698) "zugespitzt" schreibt: "Nicht Jesus oder seine Botschaft

---

[9] *J. Kremer*, Die Auferstehung Jesu Christi, in: Handbuch der Fundamentaltheologie. Bd. 2 Traktat Offenbarung, Freiburg 1985, 175-196, hier 182f; *ders.*, Art. Auferstehung Christi, in: LThK Bd. 1 Freiburg ³1993, 1178f.

[10] Vgl. *P. Hoffmann*, Art. Auferweckung Jesu, in: NBL I (1991) 202-215, hier 202. Hoffmann gibt dabei zu Recht zu bedenken, daß "eine nachträgliche Entchristologisierung der christologisch geprägten Wendungen zu primär theologischen von der allgemeinen Entwicklung her kaum plausibel ist" (203); vgl. *ders.*, TRE 4, 479-487.

[11] In diesem Zusammenhang wäre viel stärker zu beachten, daß das Kreuz von wichtigen und ernst zu nehmenden Repräsentanten der jüdischen Glaubenstraditon auch als eine Antwort auf diese theologische Streitfrage um die Interpretation des Willens Gottes verstanden werden konnte.

bedurften des 'Osterereignisses', sondern Petrus und die Jünger. " Allerdings ist diese Aussage unbedingt zu ergänzen durch den Hinweis, daß die Jünger in diese für sie letztlich ausweglose Situation nicht durch eigene Schuld oder durch eigenes Versagen gekommen sind, sondern dadurch, daß sie sich (a) auf diesen Jesus und seine Botschaft eingelassen hatten, und daß (b) der Kreuzestod das Recht ihrer Glaubensentscheidung in Frage gestellt hatte.

Ganz grob skizziert lassen sich drei grundlegende Faktoren bezüglich der Formulierung des Osterglaubens festhalten: (1) Das österliche Bekenntnis ist zuerst einmal eine Aussage über Gott. (2) Der österliche Glaube gibt durch diese theologische Bestimmung der Beziehung derer, die zu diesem Handeln Gottes sich bekennen, ein neues Fundament des Glaubens und der Beziehung zu Gott. (3) Dieses Handeln Gottes hat als Objekt Jesus, zuerst als den Gekreuzigten (wie sich etwa auch noch an alten Bekennntnis-aussagen zeigen läßt, die nur vom Sterben und von der Aufer-weckung sprechen; vgl. 1 Kor 15,3b-5), dann aber, in fortschrei-tender Reflexion, auch als den Verkündigenden (vgl. die Evange-lientradition).

Im Blick auf diese biblische Sicht und Formulierung des Osterglaubens und seine Ausrichtung als Gottesbekenntnis erscheint es zumindest fragwürdig, wenn G. Lüdemann (200) schreibt: "Vor Ostern war bereits all das vorhanden, was nach Ostern endgültig erkannt wurde. " Denn nach Ausweis der biblischen Zeugnisse besteht das Handeln Gottes an Ostern gerade nicht in einer Auf-hebung des Kreuzestodes, sondern darin, daß der Gekreuzigte eine neue Funktion bei Gott und durch Gott erhält. Insofern ist mit K. M. Fischer trotz gegenteiliger Äußerungen von Kritikern weiterhin daran festzuhalten, daß Jesus durch Ostern etwas geworden ist, "was er vorher nicht war"[12], ja was er vorher gar nicht sein konnte, da er diese Stellung *bei* Gott und *für* die Men-schen nur einnehmen konnte als der Gekreuzigte. Die weder von der Verkündigung Jesu noch von der Glaubensentscheidung der Jünger her überbrückbare Kluft zwischen dem verkündigenden Jesus und dem verkündigten Jesus "Christus"[13] besteht dabei ganz unabhängig von der Frage, was und wieviel die historisch-kritische

---

[12] *K. M. Fischer*, Das Ostergeschehen, Göttingen ²1980, 82.
[13] Vgl. dazu die weiterhin höchst aktuellen Ausführungen von *A. Vögtle*, Der verkündende und der verkündigte Jesus "Christus", in: *J. Sauer* (Hrsg.), Wer ist Jesus Christus? Freiburg 1977, 27-91.

Forschung über diesen Jesus von Nazaret an historisch einigermaßen sicheren bzw. wenigstens wahrscheinlichen Ergebnissen festzumachen in der Lage ist. Für die Behauptung von G. Lüdemann, daß "Wort und Geschichte Jesu alle Wesensmerkmale des ältesten Auferstehungsglaubens bereits in sich (bargen), so daß die frühen Zeugen, durch das Kreuz geläutert, z. T. mit anderer Sprache das gleiche sagten wie Jesus" (200), sollte man allerdings genauere Auskünfte erhalten (a) darüber, was diese gemeinsamen Wesensmerkmale sind (hier wäre zuallererst zu denken an das zentrale Thema der Soteriologie; dazu ist aber zu fragen, ob hier nur Kontinuität zu verzeichnen ist oder ob nicht vielmehr mit der durch den Osterglauben gegebenen soteriologischen Deutung des Todes Jesu als stellvertretender Sühnetod stärker das "Neue" von Ostern her gegen die Situation der Verkündigung Jesu zu betonen ist); es wäre sodann (b) zu fragen, worin die läuternde Funktion des Kreuzes bestand (bei der in Verbindung mit der Verleugnung Petri vorgelegten Interpretation der Ostervision als "ein Stück Trauerarbeit" [vgl. 105-116, bes. 113-116] wird zum einen nicht deutlich, worin die läuternde Funktion des Kreuzes bestand, v. a. aber bleibt auch die Behauptung unausgeführt, im "Sehen Jesu" sei "eine ganze Kette von [potentiellen!] theologischen Schlußfolgerungen eingeschlossen" [116]); und schließlich bleibt (c) zu fragen, ob sich denn angesichts der etwa in den Paulusbriefen bewahrten Breite der *christologischen* Aussagen die Behauptung halten läßt, die frühen(!) Zeugen würden "das Gleiche sagen wie Jesus".

2. Nach dieser aus der Sicht des österlichen Glaubens und seiner Formulierung kommenden Anfrage an die bei Lüdemann vorgenommene massive Anbindung des Osterglaubens an den "historischen Jesus" ist die Anfrage nun von der anderen Seite her zu stellen, nämlich von Jesus und seiner Verkündigung. Dies soll erfolgen unter Beschränkung auf ein Jesuslogion, welches auf sehr breiter Basis als authentisches Jesuswort anerkannt ist. Es ist der sog. eschatologische Ausblick Mk 14,25 ("Ich werde von der Frucht des Weinstockes nicht mehr trinken bis zu dem Tag, da ich neu davon trinken werde in der Basileia Gottes"). Im Rahmen des letzten Mahles, das Jesus mit einer nicht genauer eingrenzbaren Schar von Männern und Frauen feiert, die mit ihm zusammen von Galiläa nach Jerusalem gekommen sind, spricht Jesus in diesem Wort, wohl bereits unter dem Eindruck des Wissens um die gegen ihn beschlossene Aktion seitens des Synedriums, die feste Zuversicht aus, daß die von ihm angekündigte Basileia Gottes ihre

Erfüllung und Vollendung finden wird, und Gott zu seinem Wort und zu seiner Verheißung steht. Und angesichts der konkreten Situation ist auch damit zu rechnen, daß Jesus diese seine Glaubensgewißheit dem Jüngerkreis gegenüber äußert, um auch in den Jüngern das Vertrauen zu stärken, daß die von ihm angekündigte Gottesherrschaft kommen wird - auch gegen das vordergründige Scheitern in seinem gewaltsamen Tod[14].

So sicher wir mit diesem Wort Jesu eine Brücke über die Katastrophe des Karfreitags hinweg haben, so schwierig bleibt es, die Wirkkraft dieser Zusage Jesu zu bestimmen. An einigen Stationen der Passionsgeschichte läßt sich diese Problematik bestens verdeutlichen. Die Notiz, daß nach der Festnahme Jesu, also unmittelbar nach dem gemeinsamen Mahl und der Versicherung Jesu über seinen Glauben an die Treue Gottes, "alle" flohen (Mk 14,50), findet in der markinischen Passionstradition insofern eine Bestätigung, als beim Tod Jesu und allen damit verknüpften Ereignissen nur Frauen genannt werden, jedoch keine Mitglieder aus dem engeren Jüngerkreis etwa der Zwölf. Auch der Versuch des Petrus, in der Nähe Jesu zu bleiben, endet jäh mit der wohl von Furcht um die eigene Sicherheit bestimmten Distanzierung von Jesus (Mk 14,66-72). Es ist also, wie A. Vögtle sagt, nicht nur zu bezweifeln, daß die in Mk 14,25 ausgesprochene Versicherung Jesu gegenüber den Jüngern den Osterglauben hervorbringen konnte[15], sondern es erscheint auch zu gewagt anzunehmen, für die Jünger sei diese Zusage Jesu ausreichender Grund dafür gewesen, gegen den Schein des Scheiterns Jesu am Kreuz die Botschaft von der angebrochenen Gottesherrschaft und die Hoffnung auf deren baldige Vollendung und Volloffenbarung weiterzutragen. Gerade auch die skizzierte Reaktion der Mehrzahl aus dem Jüngerkreis macht es schwer, wenn nicht gar unmöglich, den eschatologischen Ausblick als für sich genommen hinreichenden Grund für die Bewältigung des Todes Jesu mittels der Auferweckungsaussage anzunehmen.

Inhaltlich gesehen markiert dieses Jesuswort sodann sogar eine deutliche Spannung zur frühen nachösterlichen Bekenntnistradition. Denn für den durch die Ostererfahrung neu konstituierten Jünger-

---

[14] Zum Stellenwert von Mk 14,25 vgl. u. a. *A. Vögtle*, Jesus "Christus" (s. Anm. 13) 68-71.
[15] Ebd. 71.

kreis - hier ist vorausgesetzt, daß das ὤφθη (er ließ sich sehen) von 1 Kor 15,5 ein Widerfahrnis des Simon und des Zwölfer- bzw. Elferkreises umschreibt, welches in ihnen die Glaubensgewißheit schuf, daß dieser gekreuzigte Jesus gerade durch sein Sterben zum Heilsmittler bestimmt sei und zu Gott erhöht wurde - wird gerade nicht kennzeichnend die Verkündigung der Gottesherrschaft und die Erwartung von deren Vollendung, wie Jesus es angekündigt hatte; in Entsprechung zu dem Glauben, daß das Handeln Gottes an Jesus diesen als eschatologischen Heilsmittler qualifiziert, richtet sich die Erwartung jetzt auf das Wiederkommen dieses zu Gott Erhöhten zu Heilsvollendung und Gericht. So entspricht der Zukunftserwartung der Urgemeinde der Bittruf "maranatha" = "unser Herr, komm" (1 Kor 16,22f; Did 10,6; vgl. Apk 22,20f ἔρχου κύριε Ἰησοῦ). Dieser Bittruf "unser Herr, komm" ist, wie A. Vögtle jüngst wieder zu Recht betont, "nur sinnvoll unter der Voraussetzung, daß Jesus nach urgemeindlichem Glauben aus dem Tod in gottgleiche Existenzweise und Aktionsmacht erhöht wurde"[16].

3. Abschließend sei die Formulierung des österlichen Bekenntnisses im Rahmen des sog. Kontrastschemas noch einmal angesprochen. Es handelt sich bei der darin charakteristischen Gegenüberstellung von Handeln der Menschen und Handeln Gottes nicht um eine historisch ausgerichtete Beschreibung, sondern um eine Deutung mit der Intention, insbesondere der radikalen Zäsur mit dem Kreuzestod einen theologischen Sinn und damit eine heilsgeschichtliche Einordnung - allerdings noch nicht ausdrücklich auch eine soteriologische Sinngebung - zu ermöglichen. Für die Jünger nach dem Karfreitag war nicht bloß das Kreuz, also der gewaltsame Tod Jesu, ein Problem. Das Problem lag einerseits, bezogen auf Jesus, in der Differenz zwischen dem Vollmachtsanspruch und der Ohnmachtserfahrung, andererseits aber, bezogen auf die Jünger, in der Differenz zwischen der Glaubensentscheidung als Resultat der Verkündigung Jesu und der Glaubenskrise als Resultat der Niederlage Jesu in einer Streitfrage, die um das Recht eben dieser Verkündigung Jesu aufgebrochen war. Für die ersten Zeugen der Erscheinung - das sind neben Simon Petrus v. a. die Mitglieder des Zwölferkreises - war die damit ausgelöste Glaubensüberzeugung, daß Gott den gekreuzigten Jesus in seinem Sterben nicht verlassen hat (belassen wir es einmal in dieser Allgemeinheit), nicht nur eine

---

[16] In: CiG 46 (1994) 135.

Widerlegung des Urteils, daß der Gekreuzigte der (nach Dtn 21,23) von Gott Verfluchte sei; der Osterglaube war für die Jünger notwendigerweise auch eine Revision ihres Verständnisses von Jesus und seiner Sendung.

Für die Jünger Jesu wird durch den Osterglauben also nicht ihr Glaube Jesus gegenüber bestätigt, sondern nach der Krise des Kreuzes in einer durch die Ereignisse - das sind neben dem Kreuzestod Jesu v. a. die Flucht der Jünger, der Anspruch von Erscheinungen und die dadurch ausgelöste Reflexion über die Funktion und Stellung Jesu - bedingten Gegensätzlichkeit neu konstituiert. Oder wie es die Emmausgeschichte erzählerisch ausgestaltend darstellt: Es ist die Spannung zwischen dem, was diese beiden Jünger als die gemeinsame Hoffnung aller Jünger aussprechen (Lk 24,21a "wir aber hatten gehofft, daß er der sei, der Israel erlösen werde"), und dem, was der Erscheinende als die Aufgabe und Funktion des Messias beschreibt (VV. 25f "... Mußte nicht der Messias all das erleiden, um so in seine Herrlichkeit zu gelangen?"). Folgen wir dieser - zugegebenermaßen späten - Interpretation, die doch auch frappierende Gemeinsamkeiten mit dem in früheste Zeit zurückreichenden Kontrastschema aufweist, dann scheint die These gerechtfertigt: Der durch die Erscheinungen des Gekreuzigten ausgelöste Glaube an Jesus als den aus dem Tod Befreiten war auch und in ganz entscheidendem Maße eine radikale Überbietung, ja eine Korrektur des vorösterlichen Glaubens der Jünger.

IV

Thesen zum Verständnis und zur theologischen Funktion der Auferstehungsbotschaft

Karl-Heinz Ohlig, Saarbrücken

Gegenwärtig geht - trotz einer rund dreihundertjährigen Geschichte historischer Kritik - die weitaus größte Gruppe von Theologen von der Überzeugung aus, die sog. absolute Wahrheit des Christentums gründe in der Erscheinung des von Gott auferweckten Jesus vor Zeugen und in der somit dokumentierten göttlichen Legitimierung Jesu und seines Anspruchs. Eine sehr kleine Minderheit westlicher Theologen, die allerdings eine viel größere Zahl von Christen repräsentiert, rezipiert die historisch-kritischen Bedenken, sieht aber mit den Erscheinungen des Auferstandenen auch die Perspektive Auferstehung als erledigt an und will somit dem Christentum nur eine säkulare Funktion zuweisen.

Meine Position bewegt sich zwischen beiden Polen. Ich denke, daß sich Erscheinungen des Auferstandenen nicht erweisen lassen und auf ihnen auch nicht die Wahrheit des Christentums gegründet werden kann[1]; damit aber muß m. E. nicht eine Perspektive für die Geschichte als ganze und eine Hoffnung auch angesichts der Todesgrenze - für Jesus und uns - und ebensowenig eine umfassend *religiöse* Funktion des Christentums fallengelassen werden[2]. Dieser Glaube an die Auferstehung - Jesu und aller Menschen - bleibt aber *eine Hoffnung;* über die Todesgrenze hinaus sind Aussagen nicht möglich. Diskutiert werden kann also nicht die Tatsächlichkeit der Auferstehung - bei Jesus und uns -, sondern nur die intellektuelle Redlichkeit oder die Plausibilität einer solchen Hoffnung.

---

[1] Vgl. *Verf.*, Fundamentalchristologie. Im Spannungsfeld von Christentum und Kultur, München 1986, 76-84.

[2] Ebd. So im Grunde auch *G. Lüdemann*, Die Auferstehung Jesu. Historie, Erfahrung, Theologie, Stuttgart 1994, 201f.

1. Zu den neutestamentlichen Osterzeugnissen

1.1 Hermeneutische Vorüberlegung

Die meisten Interpreten der neutestamentlichen Osterbotschaft beschränken sich im wesentlichen, so auch Gerd Lüdemann, auf eine Analyse der neutestamentlichen Auferstehungszeugnisse, die sie gelegentlich durch Rückgriffe auf die frühjüdische Tradition anreichern. M. E. müßte der Zugang auf umgekehrtem Weg gesucht werden: *Historisch primär* ist der frühjüdische, z. Zt. Jesu noch nicht allseits rezipierte Glaube an eine Auferstehung der eigenen Gerechten (kanonische Schriften) oder aller Toten (zwischentestamentliche Entwicklung, Anschauung z. Zt. Jesu). *Historisch sekundär* ist das christliche Osterzeugnis, das eine spezifische Modifikation der älteren Auffassung - diese bleibt die Basis, vgl. 1 Kor 15,13 ("Gäbe es keine Auferstehung der Toten, so wäre auch Christus nicht auferweckt worden") - bietet, indem es die für alle erhoffte zukünftige Auferstehung spezifisch dem am Kreuz hingerichteten Jesus, als schon eingetreten, prädiziert. *Das Eigentümliche der Osterpredigt besteht also nicht im Thema Auferstehung, sondern in deren christologischer Prädikation.*

Zur frühjüdischen Entstehung der Auferstehungshoffnung

Nicht selten wird der Begriff "Auferstehung" auch auf Vorstellungen von einem "Leben nach dem Tod" angewandt, die außerhalb der jüdisch-christlich-islamischen Tradition anzutreffen sind. Dieser Gebrauch im übertragenen Sinn ist selbst dann wenig hilfreich, wenn - wie in einigen religiösen Modellen - von einem neuen oder sogar vergeistigten Leben des Leibes (vgl. z. B. in Strömungen des Daoismus) die Rede ist. Zu unterschiedlich sind - trotz einiger vergleichbarer Motive - die zugrundeliegenden Vorstellungen (vgl. z. B. im Daoismus: der Tod wird gedacht nach dem Raster "Wandel der Seinsformen" - s. u. - und ist nur scheinbar).

Die Vorstellung von einer Auferweckung oder -stehung bildete sich originär nur - recht spät - in der jüdischen Religion, die bis dahin den Tod als endgültiges menschliches Geschick ansah. In den *ältesten Anklängen,* die aber noch nichts mit den späteren Auferstehungsassoziationen zu tun haben, sind Bildaussagen, z. B. daß Jahwe die Zerrissenen und Geschlagenen heilt und ihnen, "am dritten Tag", aufhilft (Hos 6,1.2) oder sogar tote Gebeine zusammenfügt, ihnen Fleisch zurückgibt und sie belebt (Ez 37,1-14), metaphorisch auf das künftige Heilshandeln Jahwes an seinem Volk bezogen (z. B. bei Ezechiel auf die Rückkehr der Exulanten, der "Toten", nach Palästina und die Neubelebung Israels).

Wenn man absieht von dem Gottesknechtlied Jes 53, das wohl noch der Exilszeit zuzurechnen und schwer zu deuten ist (Wird der Gottesknecht z. B. als Respräsentant Israels oder als einzelner verstanden? Ist der erwähnte "Tod" realistisch oder symbolisch gemeint?), dann werden *erst in der frühjüdischen Apokalyptik* entsprechende Bildvorstellungen auch - selektiv, für die Frommen Israels - *mit dem Tod und der Perspektive über ihn hinaus* verknüpft, so z. B. in der Jesaja-Apokalypse (26,19: Auferstehung der Toten Jahwes), im Zweiten Makkabäerbuch (7,9.11.14; 12,43-45: Auferstehung der wegen ihres Glaubens Umgekommenen oder der fromm Entschlafenen) oder bei Daniel (12,2: Erwachen vieler, die in der Erde schlafen, zu ewigem Leben oder zur Abscheu). Erst *in der zwischentestamentlichen Apokalyptik* wird die Auferstehung zu einer *Perspektive für alle* im Kontext des Weltgerichts erweitert. In diesem Sinn verwendet sie das Neue Testament (außer evtl. Lk 14,14) und bezieht sie darüber hinaus im Osterglauben auf Jesus.

Der schließlich gefundene Symbolbegriff einer *Auferstehung oder -weckung der Toten* oder *des Fleisches* wird bildlich oft als eine Belebung toter Leiber oder Gebeine entfaltet, die - in frühjüdischer eschatologischer Interpretation von Hos 6,2[3] - "am dritten Tag" erfolgt; dennoch hat die Auferstehung nur andeutungsweise (insofern der *ganze* geschichtliche Mensch im Blick ist) mit der späteren - hellenistischen - Interpretation zu tun, die eine Auferstehung des "Leibes" annimmt (meist: am Jüngsten Tag zu einer ohnehin natural unsterblichen Geistseele hinzukommend). Sowohl die "Toten" wie das "Fleisch" symbolisieren ursprünglich vielmehr die totale Nichtigkeit menschlicher Geschichte; die vorhellenistische jüdische Tradition kennt keine Zweiteilung des Menschen in Leib und Seele, immer steht der *ganze* geschichtliche Mensch im Vordergrund. Dieser ist (griechisch gesprochen: mit Leib *und* Seele) *in seiner Geschichte* (nicht in seiner Natur) ganz "Fleisch" und ebenso und zugleich "Geist", d. h. also sinnlos *und* Partner

---

[3] Vgl. z. B. *G. Lüdemann*, 60f.

Gottes, sündig, korrupt, hinfällig *und* Teilhaber am Königtum Jahwes usf. "Geist" und "Fleisch" sind nicht, dichotomisch, die naturalen Bestandteile des Menschen, sondern symbolisieren seine geschichtliche Hoheit und Niedrigkeit. Auch die christliche Hoffnung auf eine "Auferstehung des Fleisches" setzt - in den palästinisch-christlichen Anfängen - auf die Rettung und Bleibendheit des ganzen Menschen und seiner (kollektiven und individuellen) Geschichte[4].

Erst im Gefolge einer tiefgreifenden Hellenisierung wurden in Spätschriften des Alten Testaments (Weisheit), in zwischentestamentlicher Literatur (4 Makkabäer) und von jüdischen Schriftstellern (Philo, Josephus) griechisch-anthropologische Vorstellungen aufgegriffen; so kennt z. B. Weish 2,23 eine naturale Unvergänglichkeit der Seele, so daß (wenigstens?) die Seelen der Gerechten nicht sterben (Weish 3,1-9; vgl. 9,15). Die frühe neutestamentliche Tradition und Redaktion besitzt wieder eine größere Nähe zur palästinischen Denkweise; bald aber fließen auch neue Motive ein (vgl. die Betonung der Leiblichkeit des Auferstandenen in den jüngeren Erscheinungsberichten). Erst in "nach"-neutestamentlicher Zeit aber (z. B. schon 1 Klem, Ignatius) wird die hellenistische Anthropologie bestimmend.

Sachlich besteht also die Eigenart der neutestamentlichen Osterzeugnisse darin, die im Frühjudentum entstandene, metaphorisch verbalisierte Hoffnung über den Tod hinaus als schon am gekreuzigten Jesus realisiert auszusagen. Was in der Zukunft für alle erhofft wird, ist in Jesus schon eingetreten - so das Bekenntnis. "Was" erhofft wird, entfaltet das Neue Testament mittels der aus dem Frühjudentum überkommenen Assoziationen: Auferstehen, Auferweckt werden (durch Gott), ganzheitliches (also nicht bloß "geistiges") Leben, "am dritten Tag" usf. Diese Topoi erscheinen uns - heute, in kritischer Metareflexion - als Metaphorik.

Ein grundlegendes Mißverständnis der Zusammenhänge wäre es, die einzelnen Bildmomente der postmortalen Perspektive - in der Umwidmung auf Jesus bzw. in der bildhaften Entfaltung des "Sehens" - nach Art von "Ereignissen" zu begreifen, deren "Sehen" ein - dann visionäres - Wahrnehmen bedeutete; ein sich auf der Ebene der Metaphorik realisierendes "Sehen" darf nicht zu einem -

---

[4] Vgl. hierzu *K.-H. Ohlig*, Hominisation, in: *A. Grabner-Haider* (Hrsg.), Die Bibel und ihre Sprache. Konkrete Hermeneutik, Freiburg 1970, 420f.

dann mirakelhaften - empirischen Sehen uminterpretiert werden (Es sei denn, die neutestamentlichen Texte erzwängen dieses Verständnis!).

1.2 Die neutestamentlichen Texte

Das Neue Testament überliefert *drei Arten von Auferstehungszeugnissen:* Die Erzählungen vom leeren Grab, die Erscheinungsberichte der Evangelien sowie die - wohl dem frühesten christlichen Kult oder der Katechese entstammenden - Bekenntnisformeln (z. B. Jesus ist gestorben, begraben und am dritten Tag auferweckt worden, oder - in modifizierter Form -: Gott, der Jesus von den Toten erweckt hat, o. ä.).

1.2.1 Es gibt einen wachsenden Konsens darüber, daß die *Erzählungen vom "leeren Grab"* sekundäre Ausgestaltungen des Osterglaubens sind. Wahrscheinlich war die Ausbildung dieser Vorstellung von dem Stadium an zwangsläufig, als in zunehmend vom Hellenismus geprägten Gemeinden die apokalyptische "Auferstehung des Fleisches", also die anthropologisch-ganzheitlich vorgestellte Hoffnungsperspektive, dichotomisch vor allem als eine "Auferstehung des Leibes" aufgefaßt wurde. Diese Erzählungen sind narrativ gestaltete *Interpretationen* des Osterglaubens unter veränderten kulturellen Bedingungen und somit für die historische Frage nach der Auferweckung Jesu nicht verwertbar.

1.2.2 Die *Erscheinungsberichte* widersprechen sich in so gut wie allen Details. Jesus erscheint seinen Jüngern z. B. an verschiedenen Orten in Galiläa oder/und in Jerusalem und Umgebung vor je anderen Zeugen; die szenischen Abläufe, die überlieferten Worte wie auch die theologischen Absichten wechseln usf. Wollte man - wie vor mehr als zweihundert Jahren *Hermann Samuel Reimarus* - diesen "Berichten" unterstellen, sie seien historisch gemeint, müßte man sie - mit ihm - für absolut unglaubwürdig halten[5].

Historisch aber bezeugen sie, wie wir heute wissen, nicht mehr als den Glauben der jeweiligen Gemeinden und Autoren an den Auferstandenen; diesen Glauben explizieren sie narrativ, in Geschichten, deren konkrete Gestalt und Theologie sich von dem jeweiligen "Sitz-im-Leben" der späteren Gemeinden wie auch

---

[5] Vgl. z. B. Apologie oder Schutzschrift für die vernünftigen Verehrer Gottes, 2. Teil, 3. Buch.

redaktioneller Interessen her ergeben (Bedeutung des 'Brotbrechens' für die Begegnung mit dem Herrn; Wichtigkeit des Glaubens, ohne zu sehen; Begründung der universalen Mission usf.).

1.2.3 Die frühchristlichen *Bekenntnisformeln* zu Tod und Auferstehung Jesu finden sich in der neutestamentlichen Briefliteratur und in der Apostelgeschichte sowie - übertragen ins Futur - als Leidensankündigungen im Munde Jesu in den Evangelien. Sie bieten - mit Ausnahme einiger paulinischer Passagen, vor allem 1 Kor 15,3-8 - nicht mehr als die Begriffe 'Auferstehen' oder 'Auferwecktwerden', sind inhaltlich also gänzlich unbestimmt und gehen - für eine historische Fragestellung - nicht über die beiden anderen Arten von Osterzeugnissen hinaus; historisch greifbar ist nur der Glaube der Gemeinden und Redaktoren an die Auferstehung Jesu.

1.2.4 Das Zeugnis des Paulus im *Ersten Korintherbrief* (15,3-8) scheint ein wenig mehr zu verraten. Angefügt an das traditionelle Bekenntnis zur Auferweckung Jesu ist ein Hinweis auf ein Gesehenwerden (Christi) durch Zeugen. Paulus überliefert - aus ihm schon vorliegender Tradition - (1) Kephas und die Zwölf, (2) mehr als fünfhundert Brüder, (3) Jakobus und alle Apostel; dann fügt er (4) sich selbst an. Die referierten Namen spiegeln ganz sicher kirchliche Autoritätsansprüche; es ist schwer zu entscheiden, ob letztere sich aus einem "Sehen" herleiten oder nur mit ihm (nachträglich) begründet werden. Vor allem aber bleibt offen, was Paulus unter dem "Sehen" verstanden hat. Er schreibt: "er (Christus) wurde gesehen" (ὤφθη), und er fügt die Namen im Dativ an; das Passiv kann das "Sehen" im Sinne alttestamentlicher Umschreibung des heiligen Namens als Tat Gottes aufzeigen wollen (Sehenlassen oder -machen seitens Gottes) oder in Analogie zu LXX-Wendungen eine Art göttlicher Epiphanie bezeichnen. Worin aber dieses "Sehen" bestand, führt Paulus nicht weiter aus (auch nicht einige Kapitel vorher, in 1 Kor 9,1, wo er davon spricht, daß er Jesus, unsern Herrn, gesehen habe): ein empirisches oder visionäres Wahrnehmen des Auferstandenen? Ein prophetisches "Sehen" oder geistliches "Erkennen", daß der scheinbar gescheiterte Jesus der von Gott Auferweckte ist? Für letztere Verwendung des Begriffs "Sehen" (und "Hören") bietet die Bibel nicht wenige Beispiele.

Paulus selbst fügt sich den tradierten Listen hinzu, offensichtlich mit Rückgriff auf das, was man auf Grund der dreifachen legendarisch ausgestalteten Überlieferung in der Apostelgeschichte das visionäre "Damaskuserlebnis" nennt. Er selbst spricht davon in Gal 1,13-17; seine Wandlung vom Christenverfolger zum Heidenmissionar führt er darauf zurück, daß es Gott gefiel, ihm seinen Sohn ("in mir") zu offenbaren. Daß diese neue Einschätzung Jesu in einer Vision begründet war, legt der Galaterbrief nicht nahe. Ebensowenig zwingend ergibt sich diese Folgerung aus zwei weiteren Texten, die wohl auf "Damaskus" Bezug nehmen: 2 Kor 4,6 spricht Paulus von einer "Erleuchtung zur Erkenntnis der Herrlichkeit Gottes in dem Angesicht Jesu", Phil 3,8 von einer Gnosis Christi, um deretwillen ihm alles andere zu Verlust und Unrat wurde. Greifbar ist nur, daß Paulus den Glauben an den Auferstandenen auf einem von Gott bewirkten (geoffenbarten), anscheinend *innerlichen* Sehen Jesu Christi bzw. einer Erleuchtung zur Erkenntnis oder auch einfach einer Erkenntnis begründet. Zu fragen bleibt - auch als Anfrage an G. Lüdemann -, ob ohne Kenntnis der späteren Erscheinungsberichte oder der Apostelgeschichte die Aussagen des Paulus je im Sinne visionärer optischer Wahrnehmung verstanden worden wären.

1.2.5 Das "Sehen" wird später in den verschiedenen Erscheinungsberichten der Evangelien entsprechend spezifischen theologischen Interessen situativ und narrativ entfaltet und in den Erzählungen vom leeren Grab in seinen Konsequenzen reflektiert. *Historisch greifbar ist also - bald nach dem Tod Jesu - der Osterglaube, d. h. die Verknüpfung des tradierten Glaubens an die (für alle eschatologisch erhoffte) Auferstehung mit (dem gerade hingerichteten) Jesus.*

1.2.6 Sicher besteht ein Zusammenhang zwischen der Entstehung des Auferstehungsglaubens in bezug auf Jesus und einer (sofort? bald?) als "Sehen" interpretierten Erfahrung seitens einiger Jünger/innen. Diese ersten "Zeugen" scheinen konstitutiv für die neue Sicht Jesu, die Fortsetzung der Nachfolge auf einer neuen Ebene und somit für die Entstehung der Kirche gewesen zu sein (woraus sich wohl ihr kirchlicher Autoritätsanspruch herleitete). Sie waren die ersten, die den Tod Jesu nicht als definitive Katastrophe "sahen" und deswegen mit der Verkündigung begannen.

1.2.7 *Sachlich oder inhaltlich* besteht nach Meinung des Paulus dieses von Gott bewirkte (1 Kor 15) oder auch aktive (1 Kor 9) "Sehen", das "Geoffenbart-Werden" (Gal), die "Erleuchtung zur Erkenntnis" (2 Kor) in der "Erkenntnis" (Phil), daß der gescheiterte Jesus (bzw. seine Anhänger) nicht zu *ver*folgen, sondern ihm *nach*zufolgen ist, daß er die Herrlichkeit Gottes im Angesicht trägt und verglichen mit ihm alles andere unwert ist. Der Sache nach ist diese neue "Sicht" Jesu also eine - abstrakt gesagt - theologische und existentielle Interpretation Jesu, die strukturell die vorösterliche Jüngerschaft fortführt, jetzt aber - wegen des gerade geschehenen Verbrechertodes Jesu am Kreuz - auf einer neuen Qualitätsstufe anzusiedeln ist.

1.2.8 Es ist durchaus möglich - aber keineswegs historisch sicher -, daß dieses "Sehen" hin und wieder oder auch immer von ekstatischen Erfahrungen *begleitet* wurde. Weil das "ὤφθη" in seinem Inhalt nur schwer zu bestimmen ist (geistliches Sehen *oder* visionäres Wahrnehmen des Auferstandenen, geistliches Sehen als "kognitiver", existentieller und/oder ekstatischer Vorgang?), die paulinischen Verweise m. E. nicht gänzlich eindeutig sind[6] und erst die relativ späten Erscheinungsberichte der Evangelien szenisch entfaltete Visionen referieren, bleiben hier offene Fragen. Wie die Praxis der Glossolalie in den frühen Gemeinden (vgl. 1 Kor 12, 10.28.30; 13,1.8; 14; Apg 10, 44-46; 19,6) nahelegt, waren ekstatische Phänomene damals durchaus verbreitet (vielleicht auch schon in der Gemeinde der "Hellenisten" in der Apostelgeschichte), *so daß Vergleichbares auch im Gefolge des neuen und sicher existentiell tief erfahrenen "Sehens" Jesu denkbar ist.* Allerdings läßt sich historisch nicht zureichend klären, ob die Verbreitung und Häufigkeit ekstatischer Erfahrungen nicht auf die Einflüsse des "Unterschicht"-Hellenismus in den frühen Gemeinden zurückzuführen (und auf diesen zu beschränken) ist und palästinische Christen wie die sog. Auferstehungszeugen - aus ihrer Praxis des Synagogengottesdienstes heraus - nicht "nüchternere" Verhaltensweisen an den Tag legten; hierauf scheint jedenfalls die zurückhaltende Reaktion des (immerhin diaspora-jüdischen) Paulus - trotz eigener ekstatischer Erfahrungen - auf die Verhältnisse in den Gemeinden (1 Kor 14) hinzudeuten. Auf keinen Fall aber ist es historisch zulässig, vom (möglichen) Verständnis des ὤφθη bei Paulus auf die Interpretation der gleichen Redewendung in bezug auf Petrus, Jakobus oder die Zwölf zurückzuschließen; *dieses* ὤφθη entzieht sich jeder näheren Erklärung (es sei denn, man nimmt zu

---

[6] Daß Paulus ekstatische Erfahrungen kannte, ist nicht zu bestreiten. Daß sich aber die existentiell sicher sehr tiefreichende Damaskuserfahrung visionär verdichtete, muß - anders als G. Lüdemann referiert - offen bleiben.

eigentümlichen Hilfskonstruktionen Zuflucht, etwa: Petrus habe dem Paulus alles genau erzählt).

Es ist also durchaus möglich, aber nicht sicher, daß das neue "Sehen" Jesu bei den frühesten Zeugen von ekstatischen oder auch visionären Erfahrungen *sekundiert* war; vielleicht aber haben - die zweite Möglichkeit - erst die Generationen hellenistischer Judenchristen, in deren Gemeinden die Erscheinungsberichte gebildet wurden, dieses erste "Sehen" der Früheren, die ja alle (außer Paulus und Teilen der "Fünfhundert") palästinische Christen waren, nach ihren späteren religiösen Rastern visionär gedeutetet. Gegen die Annahme einer kausalen Bedeutung von Visionen spricht zudem, daß nirgendwo originäre oder überraschende Bildmotive auftauchen, die über das in der apokalyptischen Tradition vorgegebene Material ("Auferstehen", "Auferwecktwerden", "am dritten Tag") hinausgehen. Psychogene Visionen, wie sie G. Lüdemann annimmt, kennen normalerweise auch untraditionelle bzw. höchst persönliche Elemente. Offensichtlich aber haben die frühen "Zeugen" nur *das* "gesehen", was ihnen theologisch und symbolisch aus ihrer apokalyptischen Tradition vorgegeben war. Die späteren, in ihrer bildhaften Entfaltung sehr bunten Erscheinungsberichte der Evangelien aber sind wiederum formal nicht ekstatisch-visionär, sondern gemeindetheologisch geprägt.

2. Zur fundamentaltheologischen bzw. -christologischen Bedeutung von Ostern

2.1 Unter den Bedingungen vorkritischen bzw. (in traditionellem Sinn) mythischen Verstehens erfuhren die Menschen in allen möglichen Phänomenen unmittelbar numinose Ganzheit. Welt und Geschichte waren durchdrungen von göttlichen Epiphanien, die für Christen vor allem in Jesus Christus, *dem* Logos Gottes, kulminierten. Die "göttliche Wahrheit" Jesu Christi war unmittelbar ansichtig und bedurfte keiner besonderen fundamentaltheologischen Begründung (Dies erklärt z. B., warum etwa in den Evangelien die Christusqualität Jesu keineswegs exklusiv mit der Auferstehung zusammenhing, sondern im Mk-Ev. schon mit der Messiasweihe bei der Taufe oder bei Mt, Lk und Joh mit der Geburt gegeben war.).

Erst die "kritische Wende"[7] - anwachsend seit Beginn der Neuzeit - machte das ungeschiedene In- und Miteinander von Partialität und Ganzheit problematisch; "Physik" wurde von "Metaphysik" unterschieden, "bloße" Geschichte von Heilsgeschichte oder "Offenbarung", Autonomie von Theonomie usf.

Bestehen blieb aber in christlicher Verkündigung und Theologie der Versuch, die Wahrheit - jetzt die "objektive Geltung" - des Christentums wie bisher "von oben" herzuleiten. Wegen der durch die "kritische Wende" bewirkten Unterscheidungen und Diastase-erfahrungen aber konnte das Einbrechen der göttlichen Sphäre *nur noch in wenigen Raumzeitpunkten*, in denen dann die üblichen Kausalitäten mirakelhaft durchbrochen waren, lokalisiert werden. Diese umgrenzbaren göttlichen Epiphanien waren bei Jesus Christus, für den Glauben, ersichtlich aus seinen Wundern, aus seiner "übernatürlichen" Weisheit oder Güte, aus der durch Erscheinungen dokumentierten Auferstehung.

An diesen genannten Phänomenen wurde zunehmend die "göttliche Wahrheit" Jesu Christi festgemacht; sie waren die großen und wunderbaren Ausnahmen von der Geltung der Naturgesetze oder von den Bedingungen "normaler" Geschichtsabläufe. Weil sie aber "Ausnahmen" waren, mußten sie jetzt allein eine schwere (fundamentaltheologische) Beweislast tragen - eine gegenüber dem vorkritischen Verstehen und seiner ungebrochenen Ganzheits-erfahrung "neue" Qualität.

2.2 Die Fortführung historisch-kritischer Forschung ließ die genannten Ausnahmen bzw. die Phänomene, an denen Gottes Handeln aufweisbar schien, weiter "schrumpfen": die Wunder wurden als historische Fakten zunehmend problematisiert, die Sache Jesu und sein Verhalten erschienen vielfach vorgeprägt durch die religionsgeschichtliche und vor allem seine jüdische Tradition, so daß gänzlich "Singuläres" oder gar "Exzeptionelles" nicht mit Sicherheit dingfest gemacht werden konnte.

Je mehr alle möglichen Anhaltspunkte zu entgleiten drohten, *um so mehr konzentrierten sich die fundamentaltheologischen Bemühungen auf die Auferstehung.* Sie sollte, gewissermaßen als allerletzter Fixpunkt, das leisten, was in mythischem Verstehen im ganzen

---

[7] Vgl. hierzu *K.-H. Ohlig*, Dogma, Hierarchie und kritisches Bewußtsein, in: *W. Weymann-Weyhe* (Hrsg.), Offene Kirche. Analyse zur Situation - Modelle der Praxis, Düsseldorf 1974, 15-42; *ders.*, Fundamentalchristologie (s. Anm. 1) 433-441.

Leben Jesu unmittelbar ansichtig und was jetzt an keinem anderen Phänomen noch anzubinden war: die göttliche Bestätigung bzw. Legitimation des (ansonsten "bloß" historischen) Jesus; *die Auferstehung begründet und trägt* - nach diesem Argumentationstyp - *allein die eschatologische Geltung Jesu als Christus* wie das Christentum insgesamt als Offenbarung. Obwohl auch die Historizität der Erscheinungen fraglich oder bestritten wurde, klammerten sich viele um so stärker an ihre - wenn schon nicht Historizität, so doch - "Realität". Andere dagegen, die sich den Überlegungen der historischen Vernunft nicht - in einem sacrificium mentis - entziehen wollten, meinten, dann auch die Auferstehung selbst bestreiten zu müssen, weil sie im Grunde der gleichen Logik verfallen waren: Ohne ein in sie einbrechendes und an ihr greifbares Handeln Gottes bleibt Geschichte leider "bloße" Geschichte, eine Perspektive über sie hinaus ist nicht denkbar.

2.3 *Die Auferstehung bzw. das Zeugnis über Erscheinungen des Auferstandenen können eine Begründung von Christologie und Christentum nicht bieten.* Die Gründe hierfür sind vielfältig, z. B.:

Historisch: Die neutestamentlichen Zeugnisse liefern eine zu unsichere Basis; mehr als die Überzeugung, der Gekreuzigte sei auferstanden, was auf einem neuen "Sehen" Jesu gründe, läßt sich nicht festmachen.

Systematisch: Es gibt viele und vielfältige Christusbekenntnisse. Trotz aller inhaltlichen Unterschiede und auch Divergenzen stimmen sie in einem formalen, aber grundlegenden Aspekt überein: Sie bekennen sich zur soteriologischen Relevanz *Jesu*. Er, der jüdische Wanderprediger, der so kläglich am Kreuz endete, ist der Messias, Menschensohn, Auferstandene, Gottessohn, ja göttlicher Logos usf. Nicht der Messias, Menschensohn, Auferstandene ist relevant, sondern Jesus; die Prädikate sind nichts anderes als kulturbedingte symbolische Umschreibungen seiner Relevanz. Das heißt aber: *Jesus allein* ist Subjekt, Grund und Begründung der Christologie, nicht eine zu ihm hinzukommende und ihm prädizierte "Qualität". Der geschichtliche Jesus ist vielmehr der Grund, solche Prädikate von ihm auszusagen; Subjekt und Prädikat dürfen deswegen nicht ausgetauscht werden (z. B.: der Gottessohn oder der Menschensohn ist heilsrelevant, der Auferstandene provoziert uns zu Nachfolge und Glauben)[8].

---

[8] Vgl. hierzu *K.-H. Ohlig*, Fundamentalchristologie (s. Anm. 1) 616-685.

Fundamentaltheologisch: 1) Selbst wenn die Erscheinungsberichte, eindeutig und über jeden Zweifel erhaben, Zeugen-
aussagen über von den Betroffenen als "Ereignis" oder "Widerfahrnis von außen" (W. Marxsen) erlebte Begebenheiten böten,
würden sie uns nicht mehr geben als - bestenfalls - die historische
Gewißheit, daß sie diese Erfahrungen so gemacht zu haben glauben
und auf diese Weise bezeugen. Über die Glaubwürdigkeit geschichtlicher Zeugnisse und Zeugen kämen wir auch bei optimaler
Quellenlage nicht hinaus; die "göttliche Bestätigung" Jesu bliebe
auch in diesem Fall ein - zu erhoffendes - Moment des Eschatons.

Darüber hinaus müßte sich die Geltung Jesu - quoad nos - stützen
auf formale und (dem geschichtlichen Jesus gegenüber) "sach"-
fremde Kredibilitätskriterien in bezug auf irgendwelche Zeugen.
Weil Maria aus Magdala, Petrus, Jakobus oder andere glaubwür-
dige Leute waren, denen ich abnehme, daß sie nicht lügen und nicht
spinnen, glaube ich an Jesus - nicht mehr er allein wäre Grund des
Glaubens (Petrus, Jakobus etc. wären die "primi credendi")[9].

2) Vor allem aber wird meist übersehen, *daß es grundsätzlich in
der Geschichte keinerlei übergeschichtliche Gewißheit geben kann,
solange Geschichte fortdauert.* Auch wenn Jesus mir selbst heute
mit allergrößter Evidenz erschiene, bliebe dieses Widerfahrnis
ungewiß: Schon am nächsten Tag, erst recht in einigen Wochen,
Monaten, Jahren müßte ich mich fragen, ob es tatsächlich passiert
ist, ob ich es geträumt oder mir eingebildet habe, wie es mit meiner
seelischen Gesundheit beschaffen ist usf. Historische, psychologische oder - sollten auch meine Freunde vergleichbare Erfahrungen gemacht haben - sozialpsychologische Gesichtspunkte müßten
Fragen aufwerfen. Kurz: "Göttliche" oder "übergeschichtliche"
Bestätigungen lassen sich erst gewinnen am Ende von Geschichte.
Bis dahin gibt es begründete Überzeugungen und Hoffnungen - wohl
auch in äußerst möglicher Steigerung ("firmissima spes")[10] -, aber
keine absoluten Gewißheiten.

Hermeneutisch: Bei der Rede von einer Auferstehung bzw.
Auferweckung der Toten, des Fleisches usf. handelt es sich um

---

[9] Es hilft nicht weiter, darauf zu verweisen, unser Glaube sei insgesamt auf Zeugnis
und Zeugen bzw. auf ekklesiale Vermittlung gegründet. *Diese* Vermittlung ist
glaubensstiftend oder zum Glauben (an Jesus) motivierend, insofern und wenn sie
Nachfolge Jesu im weitesten Sinn realisiert - und nicht als Bezeugung eines ("nach-
jesuanischen") Mirakels, das man für wahr halten soll.
[10] Vgl. Konzil von Trient, Rechtfertigungsdekret, Kap. 13 (D 1541).

metaphorische Sprache. Diese soll zwar durchaus eine Wirklichkeit umschreiben, die mit allen Fasern erhofft wird: daß nämlich das Ende der Geschichte - kollektiv und individuell - nicht das Ende schlechthin sei. Mit der Metapher von einem Schlafenden, der aufgeweckt wird, oder einem Liegenden, der aufsteht, *soll die neubeginnende Dynamik und Aktivität symbolisiert werden* (die zugrundeliegenden hebräischen Begriffe tun dies noch intensiver). Falsch aber wäre es, die Bildelemente der Metapher selbst in die historische Realität, metaphorische zu alltäglicher Wahrheit transponieren zu wollen. Dies tun zwar wenn schon nicht die Erscheinungsberichte der Evangelien, die m. E. weithin in der Metaphorik verbleiben, so doch deren spätere Interpretationen *als* Schilderungen von Ereignissen oder Widerfahrnissen. Überspitzt gesagt wird hier so vorgegangen, als wenn ein Interpret die Wahrheit des Ersten Schöpfungsberichts darin begründet sähe, daß die Schöpfung tatsächlich nach Art des geschilderten Sechs-Tage-Werks abgelaufen wäre, oder die Wahrheit des Märchens vom Rotkäppchen darin, daß der Wolf tatsächlich die Großmutter und das Mädchen aufgefressen hat.

2.4 Der einzige mögliche und auch zureichende Grund von Christentum und Christologie ist Jesus von Nazaret selbst, sein Leben und Verhalten, seine Lehre und sein Sterben. Er selber war zu seinen Lebzeiten Anstoß und Grund radikaler Nachfolge (und vergleichbar radikaler Ablehnung), *er selber ist seither bis heute - durch die Verkündigung - weiterhin Katalysator und Motivation unseres Glaubens.* Fundamentaltheologisch muß es also darum gehen, von dem her, was uns von ihm noch historisch zugänglich ist, Gesichtspunkte und Kriterien aufzuspüren, die einen solchen Glauben - intellektuell redlich - verantwortbar und ihn auch im interreligiösen oder weltanschaulichen Dialog vermittelbar machen. Auf diese Weise läßt sich zwar keine "übergeschichtliche" oder "absolute" Gewißheit erzielen, wie eine bestimmte Funktionalisierung der Auferstehungsbotschaft dies - wie wir meinen: ohne Erfolg - anstrebt. *Bis zu seiner erhofften eschatologischen Bestätigung bleibt nur eine geschichtliche Gewißheit* - immer neu angefochten. Weil sich auf diese Weise der Glaube an Jesus Christus aber auf *Sachargumente* stützt, kann er - autonom - verantwortet werden und verlangt nicht ein bloß formales (und zugleich "heteronomes") Vertrauen in die Glaubwürdigkeit von Zeugen.

2.5 Die Bestreitung der fundamentalchristologischen Bedeutung von Erscheinungen Jesu schließt keineswegs - das soll betont werden - eine Ablehnung der Auferstehung Jesu ein. Im Gegenteil: Ohne diese Hoffnungsperspektive wären m. E. Christologie und Verkündigung überflüssig - im Sinne der Folgerung des Paulus: "Denn wenn die Toten nicht auferweckt würden, so wäre auch Christus nicht auferweckt worden; wäre aber Christus nicht auferweckt, so wäre unser Glauben nichtig" (1 Kor 15,16.17). Aber diese Perspektive bleibt - *eine Hoffnung,* immer neu von Unsicherheiten gefährdet, deren "Wahrheit" sich erst - so oder so - "am Ende" erweisen wird.

2.6 Jesus und das frühe Christentum fanden die apokalyptische Auferstehungsrede vor als Modell metaphorisch-sprachlicher Artikulation des Aufbegehrens gegen die Definitivität des "Endes" sowie der Hoffnung angesichts des Todes. Die Verknüpfung dieser Symbolaussage mit dem gerade hingerichteten Jesus durch die Kopula "ist" stellt einen beachtlichen (metaphorischen) christologischen Entwurf dar. Die Osterbotschaft ist somit eine sehr frühe und wichtige *Form des Jesus-Christus-Bekenntnisses* bzw. *ein Moment der Christologie - nicht deren Begründung.* Anders: Eine Christologie, die die Sache der Auferstehungsmetaphorik, also die Hoffnung auf "Leben" trotz des Gestorbenseins, nicht einschließt, verbliebe, wie gesagt, unterhalb ihrer vollen Norm.

3. Versuch einer religionsgeschichtlichen Präzisierung des Auferstehungsglaubens

3.1 Das Aufbegehren gegen die Definitivität des (konkreten) Todes als humane Konstante

Christliche Theologie leidet oft an einer Engführung; sie diskutiert und reflektiert die eigenen Texte, Metaphern, Lehren, ohne die übrige Religionsgeschichte zu berücksichtigen. Alle Religionen aber beschäftigen sich mit dem Tod und seiner "Bewältigung", viele kennen eine Hoffnung über den Tod hinaus. Erst im religionsgeschichtlichen Vergleich können Gemeinsamkeit und Differenz, d. h. also die spezifische Eigentümlichkeit der christlichen Auferstehungsbotschaft verstanden werden.

3.1.1 Der Mensch weiß als einziges Lebewesen, daß er sterben muß. Dieses gewußte Ende von Kollektiv wie Individuum problematisiert die gesamte Existenz und ist so ein Movens und ein zentrales Moment der menschlichen Sinnfrage (Frage nach Ganzheit, Identität, Orientierung, religiöse bzw. soteriologische Frage usf.).

Angesichts des sicheren Endes aber scheint auch (e contrario) eine das ganze menschliche Leben durchziehende Positivitätserfahrung - daß menschliche Existenz sinnvoll sei - deutlicher in den Vordergrund zu treten. Diese Positivität und somit das Leben droht einerseits durch die sich aufdrängende Todeserfahrung aufgehoben bzw. als absurd erlebt zu werden, andererseits aber führt sie zum Aufbegehren gegen das Ende, zumindest zu seiner Ablehnung oder wenigstens Infragestellung. Der erfahrene "Lebens-" und "Sinnüberschuß", aber auch - je nachdem - ein entsprechendes "Defizit" an noch nicht "abgegoltenem" Glück oder an Gerechtigkeit "zwingt" Menschen dazu, sich nicht mit dem Tod abfinden zu können und läßt sie auch angesichts des Todes hoffen (Es ist wohl unnötig hinzuzufügen, daß hier nur die Hoffnung und ihre Bedingungen charakterisiert werden, nichts aber zu Schlußfolgerungen über ein "Leben nach dem Tod" ausgesagt werden soll).

3.1.2 Schon älteste Dokumente religiöser Praxis vor rund 400.000 bis 300.000 Jahren, die rituelle Behandlung von Toten und der rituelle Kannibalismus, bezeugen diese Problematisierung von Leben und Tod und die Versuche ihrer Bewältigung. In späterer Zeit - die früheste bis jetzt nachweisbare förmliche Bestattung ist rund 160.000 Jahre alt - verdichten sich die Zeugnisse des rituellen Umgangs mit Toten und Tod, seit Beginn der schriftlichen Epoche lassen die überlieferten Mythen, Kultformen usf. genauere Einblicke zu. In der Regel finden - von den ältesten Bestattungsriten bis zu den differenziertesten theoretischen Äußerungen - beide Aspekte, der Schrecken des Endes wie auch der "Sinnüberschuß", ihren Niederschlag; gerade letzteres scheint hierbei das erstere in seiner negativen Qualität überhaupt erst deutlich zu machen.

3.1.3 Die Positivität und Gültigkeit menschlicher Existenz erfahren wir vor allem an Menschen, die wir kennen und lieben: nicht an uns selbst oder an Leuten, die wir vom Hörensagen kennen, sondern an unseren Eltern und Kindern, Partnern/innen und Freunden/innen. Dies erklärt, warum gerade *ihr* Tod als schrecklich, *ihre* Lebensbilanz als noch offen und *ihre* Relevanz als nicht einfach beendet angesehen wird. Weil die Vorfahren in der Regel vor ihren Kindern sterben, konkretisierte sich in der

Religionsgeschichte der "Glaube an ein Weiterleben" vor allem in den unterschiedlichsten Formen der Verehrung von Ahnen. Aber auch die rituellen Zeugnisse von Kinderbestattungen, Begräbnisse von jungen Frauen und Männern usf. zeigen schon seit dem Jungpaläolithikum, daß sich die Trauernden nicht mit dem bloßen Ende abgefunden haben, sondern mit aller Intensität und allen (rituellen) Mitteln auf das Leben der Verstorbenen setzten, oft es sogar magisch herbeizuführen suchten.

Die Verankerung der Hoffnung angesichts des Todes in der erfahrenen humanen Gültigkeit von Eltern, Partnern usf. macht deutlich, daß *die Rückbindung der christlichen Auferstehungshoffnung an die Gestalt Jesu strukturell nicht aus dem Rahmen der Religionsgeschichte fällt.* Weil Jesus von seinen Jüngern in einer außergewöhnlichen Weise als human geglückt und liebenswert erfahren wurde, mußte sein Tod - was durch seine äußeren Umstände darüber hinaus drastisch-anschaulich verdeutlicht wurde - wie das gewaltsame, ungerechte und abzulehnende Ende eines in voller Dynamik stehenden guten Lebens erscheinen. *Die Intensität dieser Erfahrung des "Überschusses" und der "Unabgegoltenheit" mußte zwangsläufig zu einer Hoffnung auf Leben führen. Diese anthropologische Begründung* des Bekenntnisses zum auferstandenen Jesus zeigt *die gleichen Raster wie die Entstehung der Hoffnung für die eigenen Ahnen.*

3.1.4 In ihrer konkreten Gestalt scheint sich die Auferstehungshoffnung für Jesus allerdings in zwei Aspekten (z. B. vom Ahnenkult) zu unterscheiden: *Einmal* konnte sich um Jesus - aufgrund seines Schicksals - nicht ein "normaler Totenkult" ausbilden, weil sein Leben nicht nur plötzlich und gewaltsam endete, sondern er als Verbrecher hingerichtet worden war. Deswegen mußte ein Bekenntnis zu seiner dennoch - und jetzt gerade - festgehaltenen Positivität gewissermaßen antithetisch und somit in bewußter Um- und Neuwertung der Fakten erfolgen. *Zum anderen* war der Tod Jesu nicht eine Angelegenheit "privater" Bewältigung einiger seiner Freunde. Weil sich schon seine Jüngerkreise *programmatisch* um ihn gesammelt hatten, seine humane Faszination vor allem in der von ihm - in bezug auf Israel - vertretenen Sache beruhte und auch sein Tod aus gesellschaftlichen Erwägungen herbeigeführt wurde, mußten die "Bewältigung" seines Todes und die Hoffnung auf Leben programmatische Züge tragen und gemeinschaftsstiftend wirken.

3.2 Die zwei "Typen" der Hoffnung gegen den Tod

3.2.1 Vielleicht - oder sogar wahrscheinlich - läßt sich sagen, daß es von der prähistorischen Zeit bis heute, von Asien bis Amerika, quer durch alle ethnischen und kulturellen Varianten um *eine* und *dieselbe* Sinnfrage und -hoffnung geht, in der die Perspektive 'Tod' und 'Ende' eine konstitutive Bedeutung hat. Diese Einheit der Sinnfrage kann es allerdings (wie "den" Menschen) nur in einem ganz formalen und inhaltslosen Sinn geben; in ihren faktischen Ausprägungen dagegen ist sie äußerst plural und oft divergent: Unterschiedlich sind die problematisierten "Gegenstände" (das Ende des Clans, des Stammes, des Individuums, der Umwelt oder des ganzen Kosmos, einer Clan- oder Stammesgeschichte oder der Geschichte als ganzer usf.), die Sensibilitäten ethischer Art, die Reflexionsniveaus, die Differenziertheit und Daseinsverständnisse usw.

3.2.2 Bei aller Unterschiedlichkeit aber lassen sich in den kulturspezifischen Ausprägungen der Art, die Sinnfrage zu stellen und eine entsprechende Hoffnung zu artikulieren, *zwei Grundtypen* erkennen. Diese entsprechen den beiden einzig möglichen Horizonten menschlichen Daseinsverständnisses: *Kosmos bzw. Natur oder Geschichte bzw. Kultur.*

Mehr haben Menschen nicht zur Verfügung, wenn sie sich orientieren wollen: Sie können sich begreifen als Teil der Natur, aus der sie - als eine der vielen evolutiven Varianten - kommen, deren Gesetzmäßigkeit sie bestimmt und in die sie wieder zurückfallen. Inbegriff von Orientierung, Sinnhaftigkeit bzw. "Gott" ist in diesem Fall die (göttliche) Natur oder der Kosmos und deren letzte sachhafte Prinzipien; Gott ist letzter, unpersönlicher Grund der Welt (und der Menschen). *Oder* sie verstehen sich als Handelnde in der Geschichte, von einem Anfang herkommend und auf ein Ende zugehend. Die letzte Sinnperspektive bzw. Gott wird in diesem Kontext, in Analogie zur Geschichte, gedacht als personales und handlungsfähiges Subjekt, das uns als der andere gegenübersteht.

Im ersten Fall wird die Sinnproblematik des Menschen *als naturale oder seinshafte Defizienz* erfahren, die ihn bedroht und sein Leben unwert macht. Genannt werden z. B. seine Unwissenheit, seine Verhaftung an die Materie und ihre Bedingungen (Triebhaftigkeit, Schmerzen, Krankheit u. ä.), seine Sterblichkeit, kurz: seine Endlichkeit; entsprechend kann sich Hoffnung nur

ausrichten auf einen *seinshaften Wandel* zum Besseren: auf Wissen
(Gnosis), Freiheit von der Materie (bald: geistige Existenz),
Unsterblichkeit und, in letzter Reflexionsstufe (in durchdachten
Monismen): auf Aufhebung oder Entgrenzung vom Endlichen zum
Unendlichen bzw. auf Vergöttlichung oder Einssein mit dem
kosmischen Ganzen, dem All-Gott. *In der geschichtlichen Tradition*
hingegen wird die gleiche Sinnfrage auf andere, geschichtliche
Weise symbolisch konkretisiert; die sachlich identische Negativ-
erfahrung leitet sich her von geschichtlichen Phänomenen und
Erfahrungen: von der Sinnlosigkeit, Alltäglichkeit, Korruption oder
Schuld menschlicher Existenz - individuell und kollektiv - vor Gott,
von der Ungerechtigkeit der Geschichte, von der Bedrohung von
Geschichte und personaler Existenz (inklusive Ethik, Selbstbewußtsein, Menschenwürde) durch Belanglosigkeit und das sichere Ende
usf.; Hoffnung richtet sich auf Rettung und Gültigkeit von Geschichte und der sie schaffenden Menschheit und Personen durch
Gott, auf Erlösung von Schuld usw.

Alle Religionen (im weitesten, auch säkularen Sinn) sind geprägt
von den genannten beiden "Typen" des Fragens und Hoffens; in der
Prähistorie und den frühen Hochkulturen koexistieren sie unver-
mittelt nebeneinander, in den Weltreligionen tritt eine der beiden
Versionen in den Vordergrund: der kosmisch-pantheistische Typus
in den monistischen ("mystischen"), der geschichtliche in den
monotheistischen ("prophetischen") Religionen.

3.2.3 Den beiden Arten der konkreten Gestaltung der Sinnfrage
entsprechen auch unterschiedliche Erfahrungen des Endes und einer
Hoffnung angesichts des Endes: *Kosmisch interpretiert ist Tod
niemals gänzliche Vernichtung*, sondern nur *Zerstörung und
Wandlung einer konkreten Form*, die sogleich - vergleichbar dem
Sterben eines Samenkorns und dem neuen Wachsen oder der
"Umwandlung" von brennendem Holz in Wärme, Rauch und
Asche - in anderen Formen fortdauert oder auch sich einfach -
analog dem Vorgang einer allmählichen Selbstauflösung von
herabgefallenen Baumblättern - in das Ganze kosmischer Realität
aufhebt. *"Leben nach dem Tod" erscheint in diesem Kontext relativ
unproblematisch vorstellbar im Sinne eines Lebens in neuen
Seinsformen oder in überindividueller ("formloser") Identität mit
dem göttlichen Kosmos oder der kosmischen Gottheit.* Der "Wandel
der Formen" im Tod geschieht nach sachhaften Gesetzmäßigkeiten
(d. h. ohne Eingreifen eines handlungsfähigen Gottes), er kann
sofort zum Endstadium führen oder verschiedene Etappen ein-

schließen (wie in den Sansara-Vorstellungen). *Viel radikaler wird der Tod in geschichtsorientierten Kulturen erfahren*, in denen er zunächst einmal das definitive Ende einer einmaligen Geschichte ist - da geht, wahrnehmbar, nichts weiter - und diese mit völliger Nichtigkeit bedroht; vor allem in den semitischen Kulturen gewinnt der Tod diesen Charakter (vgl. z. B. das babylonische Gilgamesch-Epos, die jüdische Religion - vgl. z. B. Ps 88 oder Ijob 14,7-12 - oder das vorislamische Arabien). Weil sich in der Geschichte - anders als in der Natur - keine Analogien für die Vorstellung einer Dauer über den Tod hinaus finden lassen (es seien denn unzureichende Surrogate wie z. B. das Schaffen großer Werke, in denen man fortdauert, so bei Gilgamesch, oder ganz allgemein das Fortleben in der Erinnerung o. ä.), fiel es geschichtsorientierten Religionen nicht leicht, eine Perspektive über den Tod hinaus und entsprechende symbolische Sprachmodelle auszubilden: Gilgamesch resigniert angesichts des Todes, sieht keine Perspektive mehr und verlegt sich ersatzweise auf kulturelle Aktivitäten, das Judentum findet erst nach dem Exil und in apokalyptischer Zeit zur Vorstellung von einer Auferstehung, die z. Zt. Jesu noch umstritten war, und die Mekkaner z. B. tun sich schwer mit der Rezeption der Auferstehungsbotschaft Mohammeds; auch das Christentum liebäugelt seit dem Einbruch des Hellenismus mit einer "Erleichterung" der Todesbewältigung im Sinne eines "Wandels der Formen"[11] (Tod als "Übergang", Fortdauer einer Geistseele, zu der irgendwann wieder der Leib kommt).

Die Vorstellung von einer "Auferstehung" schließt in geschichtsorientierten Religionen notwendig ein das Vertrauen auf das *Handeln des personalen Gottes*; wenn eine konkrete Geschichte zu Ende ist, keine naturalen Hilfskonstruktionen (Fortdauer von "etwas Bleibendem", einer Seele z. B., im Tod) zur Verfügung stehen, kann neue, geschichtlich gedachte Existenz nur durch ein höheres, "schöpferisches" Handeln entstehen; *Gott* erweckt die Toten auf. Aus diesem systematischen Zusammenhang heraus *muß* die älteste Osterbotschaft auf das Tun Gottes abheben; im Rahmen geschichtlichen Denkens und entsprechend strukturierter "Hoffnung gegen den Tod" ist "Auferstehung" nur denkmöglich als von dem

---

[11] So z. B. schon 1 Klem 24, 1-4.

(wiederum geschichtlich vorgestellten) Anderen, von Gott her, bewirkt.

3.2.4 *Beiden Typen* des Verstehens von Gott, Welt, Mensch, Tod und Leben, des Fragens und Hoffens *entsprechen somit auch gänzlich unterschiedliche Hoffnungsbilder*; mittels ihrer Symbolik soll der Zielpunkt von Hoffnung über den Tod hinaus metaphorisch festgehalten werden.

Grundsätzlich tendiert *die Bildwelt kosmischer (oder pantheistisch-monistischer) Religiosität* zur Hervorhebung eines *Wandels der Formen,* wobei - je später um so deutlicher - ein seinshaftes "Etwas" am Menschen in allem konkreten Wandel identisch bleiben sollte: die "Seele", sei ihr Schicksal nach dem Tod optimistisch (ein glückliches Leben, wenigstens zeitweise noch individuell fortdauernd) oder pessimistisch (Schattenexistenz, Aufhebung des Selbst) vorgestellt, sei für sie eine lange Dauer oder "Ewigkeit" erwartet, sei ihr endgültiger Zustand unmittelbar nach dem Tod oder erst nach einer Reihe von Stadien (Seelenwanderung, Kreislauf der Existenzen) erreicht; im Lauf der religiösen Entwicklung wurde ihr Ziel auch oft in einem Ablegen aller konkreten Gestalt und in einer Selbstaufhebung in das All-Eine und Göttliche (also eine völlige Aufgabe geschichtlicher Sonderheit) gesehen.

Die Metaphorik innerhalb geschichtlicher Religiosität, originär ausgebildet nur im nachexilischen Judentum, von Christentum und Islam weitergeführt, kreist um Bilder, die *Neubeginn und Innovation* nach dem Ende des Früheren umschreiben: Aufstehen, aufgeweckt werden, neuer Äon, neuer Himmel und neue Erde, Königsherrschaft Gottes nach "diesem" Zeitalter, ein Herz aus Fleisch statt aus Stein, so daß ein gänzlich neues Handeln möglich wird, ein neues Jerusalem, Geist-Ausgießen über alles Fleisch u. ä.

Die Hoffnungsbilder der kosmischen Religiosität wollen keine Beschreibung jenseitiger, "meta-physischer" Verhältnisse bieten, diejenigen der geschichtlichen Daseinsinterpretation keine Schilderungen postmortaler Zustände. Beiden ist gemeinsam, daß sie der Hoffnung zur Sprache verhelfen wollen, daß der Tod nicht das letzte Wort sein kann und darf, einfach weil menschliches Leben "überschüssig" und trotz seiner Bedrohung durch die völlige Vernichtung "gültig" ist. Die jeweiligen Symboliken bezeugen die Hoffnung, daß es eine Perspektive geben muß, und stoßen zu ihr an.

Sie tun dies aber auf ihre je verschiedenen kulturspezifischen Weisen, von denen auch die Art ihrer Wahrnehmung von Tod und

Hoffnung geprägt sind. Sie sind deswegen grundsätzlich ineinander übersetzbar, allerdings nicht auf der gleichen Ebene, sondern nur in einer Art von Metareflexion: *Die vertikale, "metaphysische" Perspektive ist die naturale Wendung der horizontalen, geschichtlichen Hoffnung (und umgekehrt).* Sie ist allerdings human und existentiell weniger radikal und angemessen, weil sie sich mit organologischen Analogien von einem "Wandel der Formen" bescheidet, den Menschen somit auf die Vergleichbarkeit mit "bloß" Organischem reduziert[12], den Tod auf diese Weise "verharmlost" und für das "Danach" scheinbare Stützen (z. B. Weiterleben der Seele, Reinkarnation o. ä.) in Anspruch nimmt.

3.2.5 Beide Formen von "Transzendierung" des Todes (und oft auch des Endes schlechthin) haben ihre spezifischen Eigentümlichkeiten, die das Leben ihrer Rezipienten tiefgreifend prägen. Wer den Tod mittels der Metaphorik "Auferstehung" auf Hoffnung hin "überwindet", wird dieser seiner einmaligen Existenz und dieser Menschheitsgeschichte (in den Bildern von einem Weltgericht, von Himmel und Hölle usf.) eine letzte soteriologische Relevanz zusprechen, somit auch allem, was sich nur innerhalb von Geschichte entfaltet hat: der Person und ihrer Würde, dem ethischen Verhalten, der Schuld und Vergebung. Wer den Tod - nach naturalen Modellen - als einen Wandel (oder auch Aufhebung) der Seinsformen begreift und somit die kosmische Wirklichkeit für den alles und alle Gestaltformen tragenden Grund hält, wird Geschichte, Personalität und Handeln als vorübergehenden Konkretionen des All-Einen keinen hohen Stellenwert zuordnen oder sie sogar, wie in den Upanishaden oder im Buddhismus, für nicht-sein-sollend erachten. Diese Verständnisunterschiede haben auch tiefgreifende Folgen für die Praxis.

Resümee

Die Perspektive über die Grenze des Todes hinaus gehört von den Anfängen der Religionsgeschichte bis in die Gegenwart hinein zu den - wenn auch keineswegs unangefochtenen - Hoffnungen eines Großteils der Menschheit. Basis und Motiv dieser Hoffnung ist die

---

[12] Allerdings muß angemerkt werden, daß in manchen Phasen der theologischen Reflexionsgeschichte - als Beispiel mag die thomasische Anthropologie stehen - die Funktion der Geistseele für Konstitution und Geschichte des Menschen so tief durchdacht ist, daß "reduktionistische Züge" weithin vermieden werden.

je neu erfahrene humane Gültigkeit, in und trotz aller Bedrohung, und die "Überschüssigkeit", aber auch Unausgeglichenheit menschlicher Existenz.

Diese menschliche "Wahrheit" aber muß in der Geschichte *konkret erfahren* werden, wenn sie nicht nur theoretisch behauptet, sondern existentiell vollzogen werden soll. Von daher wird verständlich, daß die frühen Jüngergemeinden ihre *Angst* vor der Sinnlosigkeit geschichtlicher Existenz durch das zeichenhaftschreckliche Ende Jesu *in vertiefter Weise* erfuhren und ihre - wohl schon vorhandene - *Hoffnung* durch die Begegnung mit Jesus und seiner programmatischen Humanität neu (oder vielleicht jetzt: endgültig) angestoßen und bestätigt sahen. Deswegen verknüpften sie diese vor allem mit ihm: für Jesus selbst wie für die Begründung ihrer Hoffnung für sich und alle.

Die "Auferstehung" und die anderen in Zusammenhang mit dem Komplex "Ende" verwendeten Symbolbegriffe zeigen, daß im Neuen Testament Tod und Ende *gemäß den Strukturen geschichtlicher Soteriologie* "transzendiert" wurden. Diese Variante ist religionsgeschichtlich jung und nur im Judentum und den von ihm abhängigen Religionen (Christentum, Islam) gegeben. Schon allein dieser Umstand zeigt, daß der erfahrene "Sinnüberschuß" in der Menschheitsgeschichte zwar immer der Grund war, gegen und über den Tod hinaus zu hoffen, *diese Hoffnung aber sehr schwierig wurde, wenn die geschichtliche Dimension von Leben und Tod im Vordergrund stand.* Dann genügte nicht mehr eine - wegen ihrer anschaulichen Parallelen wie auch ihrer "Rücknahme" des Menschen auf die Muster des (bloß) Organischen - reduzierte Hoffnung auf einen *Wandel der Lebens- oder Daseinsformen des Menschen*; sie mußte sich vielmehr umfassender auf die *Überwindung des Todes* als der totalen Sinnlosigkeit und auf die *Rettung des geschichtlich gestalteten Menschseins* richten. Wer sich und - vor allem - den anderen Menschen geschichtlich-personal zu begreifen begonnen hat (dies muß nicht im Sinne begrifflicher Reflexion verstanden werden), für den stellt eine Perspektive nach dem Modell des organischen Wandels keine wirkliche Hoffnung dar. *Insofern symbolisiert die Auferstehungshoffnung eine Perspektive, die derart umfassend ist, daß sie das Maximum dessen darstellt, was anthropologisch überhaupt nur erhofft werden kann, die aber zugleich auch so anspruchsvoll ist, daß sie nicht einfach zu rezipieren ist.*

Vielleicht bedarf sie deswegen einer radikaleren geschichtlich-konkreten Begründung als die "Transzendierung" des Todes nach dem Modell eines Wandels der Seinsformen. Vielleicht muß schon die Sinnfrage so radikal durchlebt, der Tod als so fürchterlich erfahren werden, daß die "kosmischen Modelle" nicht mehr tragen können; das geschieht wohl nicht bei einer Reflexion über "den" Tod, auch nicht den künftigen eigenen Tod, sondern bei dem fassungslosen Leid angesichts des Todes eines geliebten Menschen. Vielleicht hatte sie deswegen einen "Sitz-im-Leben" nötig wie das Aufbegehren apokalyptisch geprägter Juden gegen den unsinnigen und vorzeitigen Tod der für die gute Sache Gefallenen, vielleicht wurde sie deswegen in Israel z. Zt. Jesu von denen nicht rezipiert, die sich in ihrem Leben mit den Verhältnissen arrangiert hatten, vielleicht gerät sie heute, auch unter Christen, ein wenig aus dem Blick, wenn ein Leben in saturierten Umständen die existentielle Erfahrung totaler Sinnlosigkeit - und deswegen auch einer entsprechenden *letzten* Hoffnung - abschwächt oder wenigstens aufschiebt. Wahrscheinlich ist ein so handgreiflich sinnloser Tod wie der Jesu die unverzichtbare Erfahrungsbasis für die Möglichkeit einer sich an ihm entzündenden, so umfassenden Hoffnung.

Sicher jedoch scheint zu sein, daß die Begegnung mit dem in seiner Humanität außergewöhnlichen Jesus und mit seinem in seiner zeichenhaften Symbolik drastischen Sterben für die frühen Christen - und vermittelt durch sie für alle Christen bis heute - Grund und Anlaß war, gerade von ihm das Auferwecktsein zu bekennen und in diesem Glauben auch die eigene Hoffnung zu verankern[13].

Erleichtert wurde diese, das Eschaton vorwegnehmende Prädizierung des Auferstehungstopos an den Gekreuzigten zweifellos dadurch, daß *schon in der Verkündigung Jesu* der Anbruch des Königreichs Gottes, also des Eschatons, mit seiner Person verknüpft war. Während aber zu seinen Lebzeiten noch geschichtliche

---

[13] Überlegungen dieser Art können deutlich machen, daß die Verbindung des Auferstehungskerygmas mit einer Art von (zudem tiefenpsychologisch zugespitzter) Rechtfertigungserfahrung bei Paulus und Petrus, wie sie *G. Lüdemann* - beide Male ein wenig spekulativ - annimmt, nur sehr indirekt mit der "Sache" Auferstehung zu tun hat. Dies ist der Grund dafür, daß letztere in seiner Studie weithin unbeachtet bleibt und lediglich am Schluß positivistisch als Glaubenssatz erwähnt wird ("Allerdings *glaube* ich, daß dieser Jesus durch den Tod nicht der Vernichtung anheimgegeben wurde", 201). Darum aber geht es bei allen Auferstehungstexten des Neuen Testaments. Warum wird dieser Aspekt vorher nirgends aufgegriffen und nur von visionärer Entladung einer inneren Stauung (z. B. 98) gesprochen?

Innovationen denkbar waren, lag das Leben Jesu jetzt in definitiver Abgeschlossenheit vor. Wenn die Jünger ihn *jetzt* als den Auferstandenen und - in Person - als Anbruch des Eschatons erfuhren und verkündeten, handelt es sich hierbei um eine Form definitiver Christologie, des Bekenntnisses zur eschatologischen Gültigkeit und Bleibendheit Jesu, die - angestoßen durch den Tod Jesu - die Quintessenz des Lebens wie auch der Struktur der Nachfolge Jesu (welchen Sinn sollte sie haben, wenn Jesus mit seinem Tod endgültig passé war?)[14] metaphorisch expliziert.

Die Hoffnung auf "Auferstehung" ist, wie auch der Glaube an Gott, eine Projektion des Mängelwesens Mensch - im Sinne Ludwig Feuerbachs[15]. Seine Feststellung, daß somit Theologie Anthropologie sei[16], der Glaube an Gott (usf.) also Produkt unserer defizienten menschlichen Verfaßtheit und Geschichte, ist wohl kaum zu bezweifeln; wären wir vollkommen, wären wir also "Gott", so brauchten wir ihn nicht. Die Frage aber bleibt, *wie man diese Zusammenhänge wertet*. Schon Karl Rahner wendete die Feuerbach'sche Formulierung ins Positive[17]: Die Perspektive Gott gehört zum Menschen einfach dazu.

Der Gang der Religionsgeschichte wie auch der spezifisch christliche Auferstehungsglaube mögen zeigen, daß Menschen ihre Definition durch den Tod als das Ende schlechthin nicht akzeptieren und eine Hoffnung über den Tod hinaus als human notwendig praktizieren. Ob man eine solche Hoffnung - intellektuell redlich - für "menschenmöglich" oder für absurd hält, hängt von einer Grundentscheidung ab: ob menschliche Geschichte und Existenz als plausible Resultate der Evolution oder als eine ihrer absurden Spielarten anzusehen seien.

Diese Grundentscheidung läßt sich zwar - wie gerade getan - theoretisch-abstrakt verbalisieren; ihre *geschichtliche Wahrheit*

---

[14] Hierbei ist zu beachten, daß von Anfang an christliche Jüngerschaft an der Person Jesu orientiert war und es nicht nur darum ging, seine "Lehre" weiter zu praktizieren - diese Möglichkeit wäre grundsätzlich auch ohne die Perspektive Auferstehung denkbar (Sachlich scheint allerdings auch die "Lehre" Jesu die Hoffnung über den Tod hinaus einzuschließen).

[15] Z. B. Vorlesungen über das Wesen der Religion. 25. Vorlesung: Gott als Wunscherfüller.

[16] Das Wesen des Christentums (Leipzig [3]1849), Stuttgart 1969, 400.

[17] Z. B. Probleme der Christologie von heute, in: Schriften zur Theologie, Bd. I, Einsiedeln [5]1961, 184, A.1; gründlicher: Theologie und Anthropologie (Erstveröffentl. 1967), in: Schriften zur Theologie, Bd. VIII, 1967, 43-65.

aber erweist sich erst im Vollzug. Der Blick auf die eigenen "Ahnen" (sie stehen typologisch für alle als gültig erfahrenen Menschen) war über weite Strecken der Religionsgeschichte die *konkrete Motivation* der Hoffnung; das Christentum bekennt sich (nicht ausschließlich, aber fundamental) mit dem Blick auf Jesus und seine exemplarische Gültigkeit zur Plausibilität des Menschen. Wer auf einen Menschen wie Jesus und auf ein Leben wie seines sieht, "kann" sich nicht mit Scheitern und Tod als den letzten Worten abfinden. "Plausibel" ist das Wagnis einer solchen Hoffnung aber nur dann, wenn Menschsein so als gültig erfahren wird (oder erfahren werden kann), daß man mit allen Fasern auf seine Bleibendheit hofft.

V

"Auferstehung":
ein Wort verstellt die Sache

Hansjürgen Verweyen, Freiburg

1. Jenseitshoffnung auf dem Prüfstand der Religionskritik

1.1. Überlebensversicherung

"Jeder Mensch vollzieht mit transzendentaler Notwendigkeit ...
den Akt der Hoffnung auf seine eigene Auferstehung. Denn jeder
Mensch will sich in Endgültigkeit hinein behaupten ..."[1]. Sehr
richtig, sagt Ludwig Feuerbach: weil der Mensch nicht sein eigenes Leben loslassen will, projiziert er sich ein Jenseits im Himmel;
zumindest das Fortleben der Seele, womöglich noch etwas mehr[2].

"Amen, ich sage euch: Ich werde nicht mehr von der Frucht des
Weinstocks trinken bis zu dem Tag, an dem ich von neuem davon
trinke im Reiche Gottes" (Mk 14,25). Dies ist das letzte Wort Jesu,
das wir nach Auskunft der historisch-kritischen Exegese als wenigstens im Kern[3] authentisch annehmen dürfen. Ging also auch Jesus
mit einer abgeschlossenen Überlebensversicherung in den Tod -
ähnlich wie andere jüdische Helden zu seiner und christliche Mär-
tyrer zu späterer Zeit? Auf die Frage meines früheren Grazer
Kollegen im Firmunterricht: "Was waren die letzten Worte Jesu am
Kreuz?" erhielt er zur Antwort: "Mir ist jetzt alles wurscht. In drei
Tagen bin ich sowieso auferstanden." Auch eine Lösung - wenn
man ohnehin mit den "sieben letzten Worten Jesu am Kreuz" historisch nichts anfangen kann.

"Wenn Tote nicht auferweckt werden, dann laßt uns essen und

---

[1] K. *Rahner*, Grundkurs des Glaubens. Einführung in den Begriff des Christentums,
Freiburg [12]1976, 264.
[2] Vgl. L. *Feuerbach*, Das Wesen des Christentums, Kap. 19.
[3] - wenn auch vielleicht "nachösterlich stilisiert", vgl. P. *Fiedler*, Vorösterliche
Vorgaben für den Osterglauben, in: I. *Broer*, J. *Werbick* (Hrsg.), 'Der Herr ist
wahrhaft auferstanden' (Lk 24,34). Biblische und systematische Beiträge zur Entstehung des Osterglaubens, Stuttgart 1988, 9-28, hier 25.

trinken; denn morgen sind wir tot" (1 Kor 15,32b). Soll das heißen: "Fastet, was das Zeug hält; denn übermorgen werden wir
auferstehen!"? Immerhin hatte Paulus gerade zuvor gefragt: "Was
habe ich dann davon, daß ich in Ephesus, wie man so sagt, mit
wilden Tieren gekämpft habe?" (1 Kor 15,32a) Fällt mit dieser
Kosten-Nutzen-Rechnung ebenjener Apostel, der aller Werk-
gerechtigkeit abgeschworen hat, schließlich doch in das mensch-
lich-allzumenschliche Lohndenken zurück?

Doch die (atheistische) Religionskritik Feuerbachs setzt nicht
radikal genug an: Selbstaufopferung um der "Gattung" willen - das
riecht schon nach "real-existierendem Sozialismus".

Von ganz anderem Kaliber ist die (agnostische) Kritik Albert
Camus'. Er weist auf, wie aus dem Entwurf eines jenseitigen
Lebens ein System von Reglements resultiert, das sich - in den
Selbstverständlichkeiten der Sprache versteckt - wie ein Spinnen-
netz über unsere Wahrnehmungsfähigkeit legt. Versucht ein
Mensch, sich diesem Netz zu entwinden und mit allen Fasern seiner
Sinne in der Unmittelbarkeit der Dinge zu leben, so wird er ein
Fremder in dieser Welt. Durch Fragen zum Reden gebracht, will er
nicht mehr sagen, als er wirklich wahrnimmt. Damit zieht er sich
die Todesstrafe zu: Er wird zur fundamentalen Bedrohung für alle,
die sich in der jenseitig zugerichteten Sprache etabliert und in
diesem domestizierten "Haus des Seins" ihre Identität gesichert
haben. Zum Einverständnis mit seinem Tod findend, vermag er die
Stimme der Dinge unverstellt in ihrer berückenden Klarheit wahr-
zunehmen. Um sich ihrer zu erinnern, könnte er hundert Jahre in
einem Gefängnis oder - wenn es denn sein müßte - auch ein ganzes
jenseitiges Leben verbringen[4]. In diesem frühen Ringen um ein
angemessenes Verständnis "des Absurden"[5] bleibt eine eigenartige
Spannung. Camus läßt die Tiefe zwischenmenschlichen Erlebens
zwar in feinen Untertönen anklingen, reflektiert aber erst in einer
nächsten Schaffensphase[6] ausdrücklich auf das "Wir" als Konsequenz des revoltierenden Ichs[7].

---

[4] Vgl. A. Camus, Der Fremde, Reinbek b. Hamburg 1961, 80, 119. Dazu vorläufig
H. Verweyen, Das fremdartige Glück absurder Existenz: Albert Camus, in: K. Held,
J. Hennigfeld (Hrsg.), Kategorien der Existenz. FS für Wolfgang Janke, Würzburg
1993, 365-381.
[5] L'Étranger (1942); Le Mythe de Sisyphe (1943).
[6] La Peste (1947); Les Justes (1950); L'Homme révolté (1951).
[7] Vgl. Der Mensch in der Revolte, Reinbek b. Hamburg 1953, 21.

1.2. Du sollst nicht sterben!

Der Arzt Rieux hat sich nach langer Praxis immer noch "nicht daran gewöhnt, sterben zu sehen"[8]. "Dem Tod eines Menschen zustimmen, heißt, in gewisser Weise ihn dem Tod ausliefern."[9] Vielleicht bringt Uwe Johnson diese Evidenz in seinem Nachruf auf Hannah Arendt am prägnantesten zu Wort: Sie war "einverstanden mit ihrem Tod, wie jeder von uns einverstanden sein soll mit dem eigenen und den des anderen hinzunehmen sich weigert"[10].

Hier zeigt sich eine ganz andere Perspektive. Auch wenn ich (ohne Himmelsgedanken) zum Einverständnis mit meinem eigenen Tod gelange: mit der Vernichtung des anderen darf ich mich nicht abfinden. Ohne diese Entschiedenheit der Vernunft verkümmert zwischenmenschliche Kommunikation zu bloß strategischem Handeln.

Zu Ende gedacht, ergibt sich aus dieser Grundvoraussetzung für humanes Handeln ein (wenn auch noch so modifiziertes) "Postulat" von "etwas, worüber hinaus Besseres nicht gedacht werden kann." Ich darf den Menschen nicht in ein Bild fassen, dessen Rahmen durch die Biologie endgültig festgelegt ist, sonst verstoße ich gegen seine Würde. Dann entwerfe ich aber notwendig einen Horizont von Hoffnung, in dem der Tod nicht das letzte Wort hat[11].

Die Diskussion zum Thema "Auferstehung" krankt daran, daß diese besondere Perspektive der "reinen praktischen Vernunft" im Sinne Kants von der generellen Überlebenshoffnung des Menschen, die dem Verdacht einer Projektion des sublimierten Egoismus und einer Sicht des "Diesseits" als Probezeit für das "Jenseits" ausgesetzt bleibt, zu wenig abgegrenzt wird[12].

Auf der anderen Seite scheint auch diese Perspektive moralischer Lauterkeit mit einem schwerwiegenden Mangel behaftet: Schließt das auf Humanität bedachte Ich auf diese Weise sich selbst nicht geradezu künstlich aus dem für alle anderen entworfenen

---

[8] Vgl. *A. Camus*, Die Pest, Hamburg 1950, 70.

[9] *G. Marcel*, Das ontologische Geheimnis. Drei Essais, Stuttgart 1961, 79.

[10] Vgl. F.A.Z vom 8. Dez. 1975, 19.

[11] Zu der damit notwendig werdenden Auseinandersetzung mit A. Camus vgl. *H. Verweyen*, Gottes letztes Wort. Grundriß der Fundamentalthologie, Düsseldorf ²1991, 142-145 (im folgenden zitiert als: Grundriß).

[12] Vgl. etwa den "Anthropologischen Zugang zur Auferstehungsbotschaft" bei *H. Kessler*, Sucht den Lebenden nicht bei den Toten. Die Auferstehung Jesu Christi in biblischer, fundamentaltheologischer und systematischer Sicht, Düsseldorf ²1987, 31-40.

Horizont der Hoffnung aus - ein steiler Heroismus, der allzu leicht in noch gefährlichere, weil subtiler versteckte Formen von Selbstbehauptung abgleitet? Hier liegt einer der Gründe für den nicht abreißenden Disput um einen eindeutigen Sinn des Kantischen Gottespostulats[13]. Die Stärke der Kantischen Argumentation beruht einzig auf der unbedingten Autorität der sittlichen Verpflichtung, sich für die Verwirklichung des Guten in der Welt ohne jede Rücksicht auf das eigene Wohlergehen einzusetzen. Ihre Schwäche liegt u. a. darin, daß Kant die Frage danach, woher und wie mich überhaupt ein solcher Ruf erreichen kann, so gut wie nicht stellt.

Diese Frage wird erst durch den Aufweis der intersubjektiven Konstitution von "conscience", von Selbstbewußtsein und Gewissen, beantwortbar: Erst über die Anerkennung durch andere finde ich zu mir selbst und verpflichte ich mich gleichursprünglich auf die Anerkennung anderer Freiheit[14]. Aus diesem Grundakt humaner Existenz entspringt aber auch ein "Urvertrauen". Das "Du sollst sein!" geschenkter Freiheit eröffnet mir einen Horizont von Hoffnung, der keine Projektion von Selbstbehauptung darstellt (allerdings auch nicht vor nachträglichen Projektionen dieser Art gefeit ist[15]). Hier ergeht so etwas wie das Versprechen eines Landes, "das allen in die Kindheit scheint und worin noch niemand war"[16].

1.3. Zu spät kommende Harmonie

Ein Horizont von Hoffnung, die über die vom Tod gesetzte Grenze hinausreicht, entspringt dem "Du sollst sein!", das Menschen einander zusprechen, wenn immer sie einander als Menschen erkennen. Ist damit bereits die Hoffnung auf *Auferstehung* bzw. *Auferweckung* von den Toten vor der philosophisch-kritischen Vernunft als berechtigt ausgewiesen?

Gegen diese auch unter zeitgenössischen, kritischen Autoren verbreitete Annahme spricht die in der Theologie noch immer

---

[13] Vgl. vorläufig *H. Verweyen*, Grundriß (s. Anm. 11) Kap. 4.4; dazu *G. B. Sala*, Wohlverhalten und Wohlergehen, [Teil 1:] Der moralische Gottesbeweis in den Schriften Kants, in: ThPh 68 (1993) 182-207, [Teil 2:] Der moralische Gottesbeweis und die Frage einer eudämonistischen Ethik, ebd. 368-398, hier bes. 383ff.

[14] Vgl. Grundriß (s. Anm. 11) Kap. 9.2.

[15] Zur kontroversen Diskussion um die religiöse Tragweite des "basic trust" vgl. ebd. Kap. 9.3, bes. Anm. 14, 15.

[16] Vgl. *E. Bloch*, Das Prinzip Hoffnung, in: *ders.*, Gesamtausgabe, Bd. V, Frankfurt a. M. 1959, 1628.

weitgehend gemiedene oder hygienisch verpackte Frage der Theodizee: Eine nachträgliche Aktion Gottes zur Rettung oder gar Legitimation der unschuldig zu Tode Gequälten (sei es durch menschliche Henker oder den Allmächtigen selbst) vermag deren Leiden nicht zu rechtfertigen. Die Tränen der zerfleischten Kinder sind ein zu hoher Preis für eine himmlische Harmonie, die nachgeliefert wird[17]. Ein Gott, der bei der Kreuzigung des Gerechten "am allertiefsten verborgen" ist, soll sich durch dessen Auferweckung, also durch einen aus dem sicheren Bereich göttlicher Allmacht gewirkten Akt, als derjenige offenbaren, "der mitten im Leiden und Kreuz präsent ist"[18]? Ebensowenig wie F. Buggle[19] verstehe ich, wie eine Auferweckung erweisen soll, daß bei der Folterung Jesu Gott "in seiner öffentlichen Abwesenheit verborgen anwesend"[20] geblieben war.

Th. Pröpper gibt zu, "daß die sinnwidrigen Leiden unbedingt noch der Rechtfertigung bedürfen und jedenfalls der Gläubige kaum anders kann, als sie von Gott zu erhoffen."[21] Er sieht darin die Notwendigkeit zur Entscheidung zwischen zwei Möglichkeiten gegeben: "Guardinis hoffende [aber auf das Jenseits verschobene] Frage [nach dem Warum des Leides der Unschuldigen] und Iwan Karamasows ablehnende Antwort markieren die Alternative, auf die - soweit ich es heute verstehe - die Transformation der nach dem Scheitern menschlicher Theodizee verbliebenen Theodizeeproblematik hinausläuft und die uns Fragende so involviert, daß wir selber Gefragte sind: Ob wir nämlich Gottes Liebe die Möglichkeit, sich selbst zu rechtfertigen und aller Zustimmung zu

[17] Vgl. *H. Verweyen*, Der Glaube an die Auferstehung. Fragen zur "Verherrlichung" Christi, in: *B. J. Hilberath, K.-J. Kuschel, H. Verweyen*, Heute glauben. Zwischen Dogma, Symbol und Geschichte, Düsseldorf 1993, 71-88, Kap. 5.5.1.

[18] Vgl. *H. Kessler*, Sucht den Lebenden (s. Anm. 12) 290, 308. Dazu Grundriß (s. Anm. 11) 448. - Schon 1979 hatte *J. P. Galvin* in einer Besprechung des Osterverständnisses bei W. Kasper und H. Küng gefragt: "Is it ... consistent to understand the Resurrection as inseparable from Jesus' death, while assessing the Crucifixion in negative terms and attributing to the Resurrection the function of legitimation the (implicit) claims of the historical Jesus ..."? (The Resurrection of Jesus in Contemporary Catholic Systematics, in: HeyJ 20 (1979) 123-145, 143.

[19] Vgl. *F. Buggle*, Denn sie wissen nicht, was sie glauben. Oder warum man redlicherweise nicht mehr Christ sein kann. Eine Streitschrift, Reinbek bei Hamburg 1992, 251.

[20] Vgl. *H. Küng*, Christ sein, München ³1978, 526.

[21] Vgl. *Th. Pröpper*, Fragende und Gefragte zugleich. Notizen zur Theodizee, in: *T. R. Peters, Th. Pröpper, H. Steinkamp* (Hrsg.), Erinnern und Erkennen. Denkanstöße aus der Theologie von Johann Baptist Metz, Düsseldorf 1993, 61-72, hier 70.

gewinnen, noch zutrauen oder aber diese Möglichkeit, mit Berufung auf die Unaufwiegbarkeit des Leidens und die Unversöhnbarkeit der Schuld, für bereits definitiv und zwar negativ entschieden ansehen wollen."[22]

Diese Beschränkung auf nur zwei Alternativen dürfte der Fragestellung kaum gerecht werden. So trifft z. B. selbst Albert Camus (im Unterschied zu Iwan Karamasow) keine definitive, negative Entscheidung. Er gesteht zu: "Wenn vom Himmel bis zur Erde alles ausnahmslos dem Schmerz ausgeliefert ist, dann ist ein fremdartiges Glück [étrange bonheur] möglich."[23] Der Agnostiker aus Gründen der sittlichen Vernunft lehnt lediglich jede Vertröstung ab, die eine hier und jetzt zu beantwortende Frage auf den jüngsten Tag verschiebt.

Eben um dieser intellektuellen Redlichkeit willen, ohne die kein unbedingter sittlicher Imperativ bestehen (und Grundlage für ein Postulat von berechtigter Hoffnung sein) kann, darf ich die sich hier und jetzt stellende Frage nicht vorläufig auf sich beruhen lassen. Heute schon stemmt sich der ungeheure Widerspruch jeder Annahme eines weisen und zugleich allmächtigen Gottes entgegen: die Kluft zwischen dem *göttlichen Gebot*, keinen Unschuldigen zu töten und überhaupt keinen Menschen zu foltern, und einem *göttlichen Handeln*, das der "in dieser Erdenzeit" verfügbaren menschlichen Einsicht zufolge jener unbedingt evidenten Verpflichtung *aller* sittlichen Vernunft zuwiderläuft. Mein Begriff von Gott muß - sofern ich denn auf einen Gott vertraue - diesem Widerspruch schon heute begegnen. Der Verweis auf einen auferweckenden Gott, der erst im Nachhinein zur Folterung die Dinge ins rechte Lot und Licht rückt, wird dieser notwendigen Rechenschaft nicht gerecht. Er kommt einer Vertröstung gleich, die die hier und jetzt gegebene Infragestellung Gottes vertagt bzw. sie lediglich als "Klage" innerhalb der einmal getroffenen Glaubensentscheidung zuläßt[24].

---

[22] Ebd. 71.

[23] *A. Camus*, Der Mensch in der Revolte (s. Anm. 7) 30f.

[24] Ein aktuelles Beispiel dafür, wie eine berechtigte philosophische Anklage zur innertheologischen Klage entschärft wird, bietet das (wichtige!) Buch von *G. Neuhaus*, Theodizee - Abbruch oder Anstoß des Glaubens, Freiburg 1993. Der von ihm entrichtete Preis - eine Fehlinterpretation Kants und Camus' (bes. der oben, Anm. 8 zitierten Stelle, nach der sich der Arzt nicht daran "gewöhnen kann, sterben zu sehen"), erscheint mir zu hoch, vgl. ebd. 131f.

Es ist damit in der Tat eine Entscheidungsfrage gestellt. Allerdings nicht, wie Pröpper annimmt, zwischen Atheismus und "Gottesvertrauen nach Auschwitz", sondern an der Wurzel des Theismus selbst: Gibt es eine Möglichkeit, den "Osterglauben" als Antwort auf die auch philosophisch legitime Frage nach einem "Sieg über den Tod" zu verstehen, ohne dabei auf die wegen der Theodizeeproblematik ungeeignete Kategorie "Auferweckung" zurückgreifen zu müssen?

2. Die theologische Problematik der Kategorie "Auferweckung"

2.1. Die Spannung zwischen Inkarnations- und Auferweckungsglaube

Es mag auf den ersten Blick verwundern, daß der Frage, die sich von der Theodizeeproblematik - dem "Fels des Atheismus" (Georg Büchner) - her gegen die Vorstellung einer Auferweckung der Toten erhebt, eine Frage korrespondiert, die der Mitte des christlichen Glaubens selbst, nämlich dem Glauben an die Fleischwerdung Gottes entspringt. Gott hat es vermocht, im "Fleische" eines Menschen endgültig zu Wort zu kommen. Er war fähig, in der Begrenztheit eines Lebens, das mit der Empfängnis beginnt und mit dem Tode endet, voll und ganz zu offenbaren, wie er *wirklich ist*, nicht nur in unseren Vorstellungen von göttlicher Herrlichkeit erscheint. Demgegenüber wirkt befremdend, daß erst die Auferweckung Jesu - also ein Handeln Gottes *an* dem *toten* Menschen, nicht mehr innerhalb des Lebens, das die Bibel als "Fleisch" bezeichnet - den letztlich entscheidenden Offenbarungsakt Gottes darstellen soll.

Die zeitgenössische Theologie tut sich schwer, angemessen mit diesem Problem umzugehen. Aus der Fülle von mir inkonsistent erscheinenden Aussagen[25] greife ich eine Zusammenfassung von Th. Pröpper heraus, weil seine Theologie als Versuch, das Handeln Gottes im Horizont des modernen Verständnisses menschlicher Autonomie zu denken, m. E. einen besonderen Rang einnimmt.

Pröpper versteht Jesu Verkündigung, Tod und Auferweckung als einen Ereignis- und Bedeutungszusammenhang, der als *Einheit*

---

[25] Vgl. Grundriß (s. Anm. 11) 449f Anm. 23.

genommen Gottes Selbstoffenbarung darstellt: "Ohne Jesu Verkündigung wäre Gott nicht als schon gegenwärtige und bedingungslos zuvorkommende Liebe, ohne seine erwiesene Bereitschaft zum Tod nicht der Ernst und die unwiderrufliche Entschiedenheit dieser Liebe und ohne seine Auferweckung nicht ihre verläßliche Treue und todüberwindende Macht und somit auch nicht Gott selbst als ihr wahrer Ursprung offenbar geworden."[26]

Ich vermag dieser Logik nicht zu folgen: Wenn schon mit dem Abschluß des Lebens Jesu "die unwiderrufliche Entschiedenheit" der Liebe *Gottes* offenbar war - was bedarf es dann noch der Auferweckung? Beweist hingegen erst die Auferweckung die "verläßliche Treue und todüberwindende Macht" der göttlichen Liebe - was hat man dann von der schon vorher offenbarten "unwiderruflichen Entschiedenheit" dieser Liebe zu halten?

Manche Formulierungen von heute führenden Exegeten und systematischen Theologen erscheinen mir schwer vereinbar mit der kanonischen Botschaft des Neuen Testaments und dem frühchristlichen Dogma. J. Kremer etwa versteht die Auferweckung Jesu als die endgültige Errettung Jesu *aus* dem Tod, gewertet "theologisch als Trennung von Jahwe, dem Quell des Lebens, in der vom Grab nicht exakt unterschiedenen Scheol"[27]. Damit setzt er sich nicht nur in Widerspruch zu der Stelle - Apg 2,24-28 -, die er als "Beleg" anführt. Hier wird doch gerade das Vertrauen des Beters unterstrichen, daß Gott ihn *nicht in den Hades* geraten läßt (V. 27, vgl. Ps 26,10). Und im übrigen: wo legt der christliche Glaube nahe, daß Jesus irgendwann einmal von Gott getrennt gewesen wäre? Nach H. Kessler ist Jesus (erst) durch die Auferweckung "in *endgültige Einheit mit Gott* versetzt"[28].

---

[26] *Th. Pröpper*, Freiheit als philosophisches Prinzip der Dogmatik. Systematische Reflexionen im Anschluß an Walter Kaspers Konzeption der Dogmatik, in: *E. Schockenhoff, P. Walter* (Hrsg.), Dogma und Glaube. Bausteine für eine theologische Erkenntnislehre, FS für Walter Kasper, Mainz 1993, 180. Vgl. *ders.*, Erlösungsglaube und Freiheitsgeschichte. Eine Skizze zur Soteriologie, München ²1988, bes. 38-61, 194-198, 226-230.

[27] Vgl. *J. Kremer*, Art. Auferstehung Christi, I. Im Neuen Testament, in: LThK Bd. 1 (³1993) 1177-1182, hier 1177.

[28] Vgl. *H. Kessler*, Art. Auferstehung Christi, III. Systematisch-theologisch, in: LThK Bd. 1 (³1993) 1185-1190, hier 1188. Dazu meine Auseinandersetzung mit Kessler in: ZKTh 108 (1986) 70-74 und Kesslers Replik: Irdischer Jesus, Kreuzestod und Osterglaube. Zu Rezensionen von A. Schmied und H. Verweyen, in: ThG 32 (1989) 219-229. Ich will Kessler gewiß keine Ketzerei unterstellen. Manche der von ihm gewählten Formulierungen erinnern mich aber nach wie vor eher an den Adoptianis-

Um die angedeuteten Inkonsistenzen in der gegenwärtigen Theologie zu verstehen, wird man zurückblicken müssen. Der Glaube an die Inkarnation bzw. an Jesus, den "wahren Menschen und wahren Gott": wurde er je schon einmal nicht nur in (z. B. konziliaren) Formeln klar gefaßt, sondern auch theologisch konsequent reflektiert?

In der traditionellen, vor-neuzeitlichen Christologie (die im katholischen Denken noch bis in die unmittelbar vor dem Zweiten Vaticanum verfaßten Katechismen hineinreicht und im neuen "Weltkatechismus" teilweise restauriert wurde[29]) glaubte man den irdischen Jesus mit besonderen göttlichen, sprich: herrscherlichen Qualitäten ausgerüstet. Die Auferstehung Jesu Christi selbst und schließlich seine Himmelfahrt galten als der glorreiche Abschluß eines Erdenwirkens, in dem seine übernatürliche Wundermacht immer schon greifbar war. "Am dritten Tage nach seinem Tode vereinigte Jesus seine Seele wieder mit dem Leibe und stand glorreich von den Toten auf ..."[30]. "Die Himmelfahrt Jesu war ein Triumphzug ... Im Himmel bestieg Jesus den Thron zur Rechten des Vaters. Er nahm jetzt auch als Mensch Besitz von der Macht und Herrlichkeit, die er als Sohn des Vaters von Ewigkeit her besitzt"[31]. Bei aller Fragwürdigkeit: hier gab es in der Tat eine Einheit im Verstehensentwurf der (monophysitistisch verklärten) "Geschichte" Jesu.

Die heute vorherrschende Theologie ist im Zuge der sog. historisch-kritischen Rückfrage mit Jesus als einer Gestalt vertraut, die zweifellos wahrer *Mensch* war. Ist der auf diese Weise vor der kritischen Vernunft verantwortete Jesus aber nicht auf einen so kümmerlichen Rest zusammengestutzt, daß der Auferweckungsglaube gleichsam wie daran angeklebt wirkt? Wir werden uns dieser Frage weiter unten (Abschnitt 3) ausführlicher zuwenden, wenn es um das Problem der Verantwortung christlicher Hoffnung vor dem Forum der *historischen* Vernunft, nicht nur - wie hier - um die Frage nach dem systematisch schlüssigen Zusammenhalt des Glaubens selbst geht.

---

mus als an die Christologie der Ökumeninschen Konzilien.

[29] Vgl. *H. Verweyen*, Der Weltkatechismus. Therapie oder Symptom einer kranken Kirche? Düsseldorf 1993, bes. 91-93.

[30] Katholischer Katechismus der Bistümer Deutschlands. Hrsg. von den deutschen Bischöfen, Freiburg 1955, 62.

[31] Ebd. 65.

2.2. "Auferweckung" - eine gefährliche Metapher

Die im "Osterglauben" gemeinte "Sache" wird neutestamentlich (und erst recht in der Theologie danach) vorwiegend mit dem Terminus "Auferweckung" bzw. "Auferstehung" bezeichnet. Diese Metapher ist aufs engste mit dem Weltbild der Apokalyptik verbunden, zu dem - bei aller Variationsbreite im Detail - vor allem die folgenden Kennzeichen gehören: "Weissagungen über eine generelle Verschlechterung der Zustände in Natur und Menschenleben bis hin zur völligen Katastrophe, die Auflösung menschlicher Bindungen und zunehmende Drangsale, die Parusie eines Heilandes, Totenauferstehung und Weltgericht. Der darauffolgende Anbruch einer endgültigen Heilszeit gilt oft als Wiederherstellung urzeitlicher, paradiesischer Zustände"[32]. In den Paulusbriefen - den frühesten Quellen für die Ermittlung der christlichen Osterbotschaft - finden sich zahlreiche Charakteristika dieses apokalyptischen Weltbildes: "die Äonenlehre ..., die Botschaft von Gerechtigkeit und Gericht ..., das Thema der neuen 'Schöpfung' ... und der Vollendung der Zeiten ..., das Verständnis von Wiederkunft, Totenauferstehung, Entrückung der Gemeinde und Endgericht ... Ein traditionelles Bild vom Antichristen und vom Satan ..., der als endzeitlicher Gegenspieler Gottes agiert, steht neben der Gewißheit, daß die Gemeinde in einen letzten Kampf hineingezogen ist ... Das Zeitdenken ... des Apostels ist von einer erheblichen Gespanntheit und bekundet eine gewisse Distanziertheit zur Welt, ist aber letztlich von einer sieghaften Zuversicht erfüllt"[33].

Auch abgesehen von den oben aufgezeigten Schwierigkeiten, die sich von seiten ernstzunehmender religionskritischer (1.3) und systematisch-theologischer Argumente (2.1) gegen die wie selbstverständliche Weiterverwendung der Auferweckungs-/Auferstehungsterminologie in Verkündigung und Theologie erheben, bietet allein schon der Verständnishorizont, dem diese Terminologie zugehört, Anlaß zur Verwunderung, wie selten in der Diskussion um die "Auferstehung" die Frage aufgeworfen wird, ob gerade diese traditionell weitergeschleppte Formel heute nicht ein be-

---

[32] *G. Lanczkowski*, Art. Apokalytik/Apokalypsen, I. Religionsgeschichtlich, in: TRE Bd. 3 (1978) 189-191, hier 190.
[33] *A. Strobel*, Art. Apokalytik/Apokalypsen, IV. Neues Testament, in: TRE Bd. 3 (1978) 251-257, hier 252.

trächtliches Hindernis für die Vermittlung der Osterbotschaft darstellt.

Eigentlich gibt schon der theologische Kontext der neutestamentlichen Schriften Grund genug, die Frage zu stellen, ob die Auferstehungsmetapher wirklich angemessen ist, das durch den Tod unanfechtbare Leben Jesu in Gott und unsere sich darauf stützende Hoffnung für die Zukunft der Schöpfung auszudrücken (s. Abschnitt 4). Der Weg dazu scheint heute allerdings weitgehend durch die Annahme versperrt, daß die Suche nach den *frühesten* Formulierungen des Osterglaubens hinter das Zeugnis der neutestamentlichen Autoren zurück am ehesten zur historischen Wahrheit über die Basis des Osterglaubens führe (s. Abschnitt 3). Bevor wir diesen komplexen Verstellungen einer sachgerechten Frage nach der Gültigkeit des Osterglaubens nachgehen, sei die Frage nach der Adäquatheit der Auferweckungsmetapher zunächst kurz auf dem Hintergrund des Glaubens Israels aufgeworfen.

Der Glaube der Väter
Es fällt auf, daß der Monopolanspruch, den die apokalyptische Metapher in unserer Sprache vertritt, so weit greift, daß selbst die Rückfrage nach dem Glauben an den "Gott des Lebens" im alten Israel unter ziemlich einseitiger Perspektive gestellt wird. Fast allgemein geht man von Dan 12,2f als "einzige[m] absolut unbestrittene[m] Auferstehungstext im hebräischen Alten Testament" aus[34], fragt dann z. B. nach der "Vorgeschichte" (Jes 26,19; Ez 37,1-14; Hos 6,1-3) und kommt zu der Feststellung: "In noch frühere Zeit zurückzugreifen, ist nicht möglich."[35] Oder andersherum: "... nach altisraelitischer Auffassung galt: *Die Toten leben weiter*. Freilich, sie vegetieren mehr, als sie leben! ... *All die Väter Israels* ... gingen für sich wie für alle anderen Menschen von einem solchen Ende in Dunkelheit aus. ... die *einzige unumstrittene Belegstelle für die Auferweckung von den Toten im ganzen Alten Testament hebräischer Sprache* stammt aus [dem Danielbuch]"[36]. Jahwe wird ausschließlich als Gott der Lebenden profiliert, "der

---

[34] Vgl. *G. Stemberger*, Art. Auferstehung, I/2. Judentum, in: TRE Bd. 4 (1979) 441-450, hier 443.
[35] Ebd. 444.
[36] *H. Küng*, Ewiges Leben? München 1982, 111.113. Ähnlich auch K.-H. Ohlig in diesem Band (1.1): "Die Vorstellung von einer Auferweckung oder -stehung bildete sich originär nur - recht spät - in der jüdischen Religion, die bis dahin den Tod als endgültiges menschliches Geschick ansah."

nach den ältesten Überlieferungen mit Tod und Totenwelt nichts zu tun hat. ... Sterben bedeutet also den Verlust jeglicher Verbindung mit Jahwe ..."[37]. Gelegentlich wird auf "Ausnahmen von der Regel" wenigstens kurz hingewiesen. So bemerkt H. Kessler unter der Überschrift "Alter Volksglaube": "Der Einzelne war Teil der *Sippe* (des Stammes, des Volkes) und in ihrem Kollektiv geborgen. So kehrte er auch - nach der archaischen, mit der Scheolvorstellung nicht ganz ausgeglichenen Auffassung - im Familiengrab in den bergenden Schoß des Kollektivs zurück (z. B. Gen 25,8f; 49,29ff)."[38]

Müßte man nicht umgekehrt fragen, ob die Lektüre der Vätertradition nicht erst im Ausgang vom Horizont der Apokalyptik, sondern schon von der negativ ausgeprägten Scheol-Vorstellung her völlig unangemessen ist? Der Väterzeit ist die Vorstellung des Todes als eines "Hinabfahrens" in die völlige Kommunikationslosigkeit mit Gott und anderen Menschen fremd[39]. Der Tod der Patriarchen wird vielmehr mit betonter Konsequenz als Eingehen in die Einheit mit den Vätern oder Verwandten umschrieben (Gen 25,8: Abraham; 25,17: Ismael; 35,29: Isaak; 49,29.33: Jakob; in diesem Sinne wird auch noch Vorsorge für Josef getroffen: vgl. Gen 50,24-26 mit Ex 13,19; Jos 24,32). Bemerkenswert ist vor allem, daß Gen 15,15 *Jahwe selbst* zu Abraham sagt: "Du aber wirst zu deinen Vätern eingehen in Frieden" (das erstemal, wo in der Bibel das Wort "schalom" begegnet!40). "Alter Volksglaube", "archaisch"[41]? Gewiß ist in diesem Zusammenhang die Frage nach einer "individuellen Fortexistenz" noch müßig. Der Gedanke, Abraham könne aus Todesfurcht auf ähnliche Weise mit Gott verhandelt haben wie der fromme Beter etwa von Ps 6,5f, scheint mir aber völlig abwegig. Abraham weiß sein Leben auch über den Tod hinaus durch Jahwe geborgen: *mit* bzw. (nach seinem Tod) *in* denen, die seines Bluts sind. Genauer: er weiß sein Leben

---

[37] Vgl. (unter vielen anderen) *Hildegard Gollinger*, "Wenn einer stirbt, lebt er dann wieder auf?" (Ijob 14,14). Zum alttestamentlich-jüdischen Hintergrund der Deutung der dem Kreuzestod nachfolgenden Erfahrung der Jünger mit dem Bekenntnis zur Auferweckung Jesu, in: L. *Oberlinner* (Hrsg.), Auferstehung Jesu - Auferstehung der Christen, FS für Anton Vögtle (QD 105) Freiburg 1986, 11-38, hier 14.

[38] H. *Kessler*, Sucht den Lebenden (s. Anm. 12) 49.

[39] Zu den scheinbaren Ausnahmen ab Gen 37 s. u.

[40] Vgl. C. *Westermann*, Genesis. Biblischer Kommentar Altes Testament Band I/2, Neukirchen-Vluyn 1981, 270.

[41] S. Anm. 38.

und das seiner Väter geborgen allein in Jahwe, selbst dann noch, wenn dieser ihm den ihm wunderbar geschenkten Sohn der Verheißung wieder entreißen wollte.

Ist Jesu Antwort an die Sadduzäer (unter Berufung allein auf die von diesen anerkannten Schriftquellen) Mk 12,26f parr[42] eine bloß "spirituelle" Auslegung des Väterglaubens, an dessen "Literalsinn" vorbei? Was hätten die Väter selbst zu dieser Interpretation Jesu gesagt? Zunächst wohl, daß ihr Vertrauen auf die bleibende Verbindung mit dem sie herausrufenden Gott über ihren "eigenen" Tod hinaus in der Tat nicht weniger Lebenszuversicht darstelle als die unter der Metapher "Auferweckung" thematisierte Hoffnung. Vielleicht aber auch, daß sie die apokalyptische Vorstellung (bei allem Verständnis für die Berechtigung der erst nach ihrer Zeit aufgekommenen Frage nach einem *individuellen* Fortleben, insbesondere angesichts des Problems, ob denn schließlich der Böse über den Gerechten den Sieg davontragen solle) etwas abwegig fänden: Soll Leben aus Gottes Hand erst dann wieder möglich werden, wenn diese (dem Verständnis der Väter nach keineswegs) korrupte Welt zerstört ist?

Todesmacht?

Das Wort "Scheol" taucht erstmals in der Josefgeschichte auf, und zwar in einem einzigen Motivzusammenhang (Gen 37,35; 42,38; 44,29.31). "Das Sterben wird bezeichnet als 'Hinabsteigen in die Scheol', eine feste Wendung, die gewiß nicht der Väterzeit, sondern der Zeit des Erzählers angehört."[43] Man wird hinzufügen dürfen, daß auch hier noch (trotz der Aufnahme jener Formel und gegen das Charakteristikum der Kommunikationslosigkeit der Scheol!) das alte Motiv von der Vereinigung mit dem eigenen Blute nach dem Tode weitergetragen wird. Jakob will sich bei der Nachricht vom Tode seines geliebten Sohns nicht trösten lassen: "Nein,

---

[42] Zum frühjüdischen Umfeld dieses Gedankens vgl. *J. Kremer*, Auferstehung in bibeltheologischer Sicht, in: *G. Greshake, J. Kremer*, Resurrectio mortuorum, Darmstadt 1986, 130-137. Daß die Ausführungen dort im Zusammenhang der Frage nach dem *Zeitpunkt* der *Auferstehung* gemacht werden, beweist allerdings einmal mehr die Diktatur dieser apokalyptischen Metapher.

[43] *C. Westermann*, Genesis. Biblischer Kommentar Altes Testament Band I/3, Neukirchen-Vluyn 1982, 36 (zu Gen 37,35); vgl. ebd. 149 (zu Gen 44,27-29).

in Trauer will ich hinabfahren *zu meinem Sohn* in die Scheol" (Gen 37,35)[44]. Die Scheol gilt als Ort der völligen Gottesferne. Daß gelegentlich davon gesprochen werden kann, die Macht Jahwes erstrecke sich bis zur Unterwelt (vgl. Am 9,2; Ps 139,8; Ijob 26,6; Spr 15,11) sind nach L. Wächter "Grenzaussagen, die erst spät in Israel gewagt wurden"[45]. Werden bei dieser Annahme aber die beiden Hauptstränge der Entmythisierung der Scheol im Alten Testament hinreichend bedacht? Zum einen verlangte der Jahweglaube die Reduktion der Auffassungen über das Wie der Fortexistenz in der Unterwelt auf ein (vom religionsgeschichtlichen Umfeld Israels her betrachtet) absolutes Minimum. Dies war - gegen die fortwährende Versuchung eines Rückfalls in den Totenkult[46] - nur im Festhalten an der unbedingten Souveränität Jahwes über Leben und Tod zu leisten. Diese Glaubensgewißheit verdankte sich aber, und das ist das zweite, der Erfahrung der unangefochtenen Macht Jahwes über die Chaoswasser - beim Exodus wie im Blick auf die Schöpfung[47]. Die Grundvorstellung von der Scheol bestand gerade darin, daß diese die tiefste Tiefe der von Gott (kampflos!) gebändigten Chaosmacht (in all ihren Personifizierungen) bildet.

Angesichts dieses Zusammenhangs scheint mir die Annahme fragwürdig, Israel habe seine Toten weniger von einem "Leben über den Tod hinaus" umfangen geglaubt als die "Heidenvölker". Das Verhältnis der - von Menschenmacht her gesehen - wirklich Verlorenen zu dem auch den Todesbereich absolut beherrschenden Gott war (und ist!) reflex allerdings ungleich schwieriger einzuholen als jede "Mischlösung", und vor dem Zusammenbrechen der alten, das Individuum bergenden Clan-Strukturen wurde zu solcher Reflexion offenbar kein drängendes Bedürfnis empfunden. Die schöne Stelle Jjob 14,13: "O hieltest du mich in der Scheol verborgen, verstecktest mich, bis sich dein Zorn gewandt hat!" versteht L. Wächter als einen bildlichen Gebrauch des Wortes, "um

---

[44] Bei der Nachricht, daß Josef lebt, sagt Jakob: "Ich will hingehen und ihn sehen, bevor ich *sterbe*" (Gen 45,28).
[45] Vgl. L. *Wächter*, Art. šeʾôl, in: ThWAT 7 (1993) 901-910, hier 908, 910.
[46] Vgl. (für einen ersten Überblick über die "Bandbreite") Lev 20,6.27; Dtn 18,11; 26,14; 1 Sam 28,11; 2 Kön 21,6; 23,24; 2 Chr 33,6; Jes 8,19f; 19,3; 29,4; Bar 6,26.31; Ijob 26,5; Ps 106,28; Spr 9,18.
[47] Beides fließt in der Tradition bekanntlich zusammen, vgl. etwa Ex 15,5.8.10.12; Ps 77,16-21; 104,5-9.

ein Versteck zu kennzeichnen, das unzugänglich ist"[48]. Nun gut: Kann sich aber nicht gerade in solchen Bildern die paradoxe Glaubensgewißheit hinsichtlich des "Über den Tod hinaus" niederschlagen, die Israel zugemutet wurde[49]?

Auf die Vorstellung von der Entrückung des Elija (2 Kön 2,11) und der Aufnahme Henochs zu Gott (Gen 5,24) braucht hier nicht näher eingegangen zu werden[50]. Sie bilden Beispiele des Glaubens daran, daß zumindest hervorragende Einzelpersonen nicht von der Macht des Todes tangiert wurden. "Ob Jes 53,10-12 regelrecht eine Totenerweckung des 'Knechtes' ankündet, ist ... umstritten"[51]. Natürlich - schon weil die Frage falsch gestellt ist. Ist es aber wirklich so abwegig, ein (nicht nur die "Seele" bergendes) Leben bei Gott *trotz* des physischen Todes zu denken, das nicht unbedingt als "Auferweckung/Auferstehung *vom, nach dem* oder (meinetwegen auch, trotz des Mißbrauchs der Metapher) *im* Tod" verstanden werden muß? Bei aller Schwierigkeit der Interpretation des vierten Gottesknechtsliedes sind wohl zwei Dinge kaum von der Hand zu weisen. Zum einen, daß sich eine (rein) *symbolische* Deutung der Rettung des Knechts trotz seines Todes verbietet - schon wegen der Erwähnung des Begräbnisses (53,9). Zum anderen, daß der späteren korporativ-persönlichen Auslegung ursprünglich Aussagen über das Geschick eines einzelnen zugrunde liegen, den man wegen des Erlittenen zunächst von Gott verachtet wähnte, dann aber als von diesem endgültig angenommen erkannte.

Es scheint mir - um diesen Exkurs über den Glauben Israels abzuschließen - jedenfalls fraglich *erstens*, ob vor dem Aufkommen der Auferstehungshoffnung Israel "den Tod als endgültiges menschliches Geschick ansah"[52]. Tragen wir hier nicht moderne Vorstellungen in ein ganz anders strukturiertes Denken hinein? Das Bauen der Väter auf ihren Gott weist ganz sicher über den Tod hinaus, auch wenn ihr "eigener" Tod für sie (bei hinlänglich langem Leben) keine radikale Frage aufwarf. Die Auffassung von einer völligen Finsternis in der Scheol, die jede Kommunikation

---

[48] Vgl. *L. Wächter*, Art. šeʾôl (s. Anm. 45) 908.

[49] Ähnlich urteilen *W. H. Schmidt, J. Becker*, Zukunft und Hoffnung, Stuttgart 1981, 73.

[50] Vgl. dazu etwa *J. Kremer*, Auferstehung in bibeltheologischer Sicht (s. Anm. 42) 136-137.

[51] Ebd. 78.

[52] Vgl. Anm. 36, im Kontext eines überwältigenden Chors ähnlich lautender Stimmen.

zwischen Verstorbenen und noch auf Erden Lebenden unmöglich macht, wurde mühsam durch den Glauben an den einen Herrn über Leben und Tod errungen. Bei der Vielzahl von "Ausnahmen" von diesem offiziellen Glauben in den kanonischen Schriften[53] darf man sogar fragen, ob sich diese Entmythisierung des Totenreichs vielleicht nur bei den großen Zeugen des Jahweglaubens wirklich durchgesetzt hat. Gerade diese sollen aber dem physischen Tod soviel Macht beigemessen haben, daß er jede Verbindung zwischen dem alle Chaoswasser souverän beherrschenden Gott und den von ihm Erwählten abbrechen konnte?

Zweitens ist ernsthaft zu bedenken, ob die schließlich aufkommende Auferstehungsvorstellung nicht sogar hinter das vorher errungene Vertrauen der Väter auf den stets gegenwärtigen Gott des Lebens zurückfällt. Sie ist im Kern der Versuch, in einer Zeit, da nicht nur (wie im Exil) die Geborgenheit des einzelnen in Stamm und Sippe zerbrach, sondern auch die Erfüllung der prophetischen Frohbotschaft für die nach Jerusalem Zurückgekehrten auszubleiben schien, weiter an die Treue Jahwes zu glauben. Angesichts der ihrem Verderben zustrebenden Welt wurde auf diesem Wege aber die Bewahrheitung göttlicher Treue im Prinzip auf das Ende der Geschichte verschoben und damit die Erwartung einer endgültigen Scheidung der Gerechten von den Bösen verbunden. Mangelndes Interesse an dieser einzigen Zeit, die Gott für uns geschaffen hat, und Vorherrschaft eines sich in Kategorien des Lohns bewegenden Glaubens gehören zu der schweren, noch immer unbewältigten Hypothek.

3. Osterglaube und historische Vernunft

3.1. Der "garstige breite Graben"

Das Argument Lessings, historische Urteile - die bestenfalls eine hohe Wahrscheinlichkeit für ihre Gültigkeit beanspruchen dürfen - könnten nie eine hinreichende Basis für die Überzeugung von einer unbedingten Wahrheit bilden, ist bekannt. Nur wenige stellen sich aber der daraus folgenden Konsequenz[54].

---

[53] S. Anm. 46.
[54] Ausführlich zu der hier nur knapp angerissenen Problematik: Grundriß (s. Anm. 11) Kap. 12; 14-17.

Zumindest im Prinzip konsistent waren die Vertreter der "alten" Rückfrage nach dem historischen Jesus - "Von Reimarus bis Wrede", wie Albert Schweitzer diese Forschungsphase überschrieb[55]. Sie erwarteten von dem Ergebnis ihrer Untersuchungen keine Stütze für den Glauben, daß Jesus Christus der endgültige Offenbarer oder gar "eines Wesens mit dem Vater" ist. Ihr Ziel war vielmehr, Jesus von allem Ballast kirchlicher Dogmatik zu befreien.

Im Prinzip konsistent waren Karl Barth und Rudolf Bultmann. Sie lehnten die historisch-kritische Rückfrage nach dem Jesus der Geschichte als Teil der theologischen Arbeit ab, eben weil sie Lessing und (dem ihm in diesem Punkt folgenden) Kierkegaard recht gaben: Der Versuch, jene Rückfrage nach Jesus von Nazaret mit der nur über das lebendige Zeugnis der Kirche zu gewinnenden Erkenntnis von dem "Ein-für-allemal" Jesu Christi zu verbinden, führe zur gefährlichen Vermengung dessen, was vom Menschen her möglich ist, mit dem, was allein Gott eröffnen kann. Die "Dialektische Theologie" blieb damit aber die Antwort auf die Frage schuldig, wie der Christ denn die von ihm geforderte Rechenschaft über den Grund seiner Hoffnung zu geben vermöge (vgl. 1 Ptr 3,15). Diese ist doch auf ein Ereignis gegründet, das in die menschliche Geschichte eingefallen ist und als solches vor dem Forum historischer Vernunft verantwortet werden muß.

Konsistent ist auch Karl-Heinz Ohlig, solange er seine Arbeit als Teil der Religionswissenschaft, nicht aber der Theologie versteht. In seinem hier publizierten Beitrag[56] gibt er (2.3-5) das von Lessing aufgeworfene Problem präzise wieder. Konsequenterweise bleibt nach Ohlig alle Gewißheit über Jesus Christus, weil geschichtlich, immer neu angefochten. Sie könne nie "absolut" werden. Der Glaube an die Auferstehung Jesu reduziere sich entsprechend auf eine "Hoffnungsperspektive", "*eine Hoffnung*, immer neu von Unsicherheiten gefährdet, deren 'Wahrheit' sich erst - so oder so - 'am Ende' erweisen wird." Christliche Theologie wird, solange sie an der bereits jetzt gegebenen Überzeugung von der Letztgültigkeit von Wort und Werk Jesu festhält, sich nicht mit

---

[55] *A. Schweitzer*, Geschichte der Leben-Jesu-Forschung, Hamburg ⁹1984. Die erste Auflage 1906 der genannten Arbeit hatte noch den Titel 'Von Reimarus zu Wrede' getragen!

[56] - wie schon in seiner "Fundamentalchristologie" (Im Spannungsfeld von Christentum und Kultur, München 1986); vgl. dazu *H. Verweyen* in: ZKTh 110 (1988) 329-333.

diesem Ergebnis begnügen dürfen. Gibt es aber überhaupt einen ehrlichen Weg über den "garstigen breiten Graben"?

Die mit den Arbeiten von E. Käsemann einsetzende "neue Suche" nach dem historischen Jesus und nahezu die gesamte neuere, von diesem Ansatz ausgehende Theologie ist - wie schon die frühere katholische Apologetik - im Prinzip inkonsistent. Denn trotz des Wissens darum, daß die historisch-kritische Rückfrage ihrem überkommenen Wissenschaftverständnis gemäß bestenfalls zu wahrscheinlichen Ergebnissen führt, meint sie, die Botschaft von der Letztgültigkeit christlicher Offenbarung durch jene Rückfrage stützen zu können - sei es durch den Aufweis der "Kontinuität" zwischen dem historischen Jesus und dem christlichen Kerygma, sei es auch nur in der Annahme, daß sich diese Glaubensbotschaft an der historischen Rekonstruktion des irdischen Jesus orientieren, an ihr Maß nehmen müsse (oder wie immer vorsichtig die Grabensprünge auch lauten).

Die kurz skizzierte Situation sich historisch-kritisch verantworten wollender Theologie scheint mir in ihrer Verfahrenheit einen wesentlichen Grund für die schwindende Autorität kirchlicher Lehre darzustellen. Gibt es einen Ausweg?

3.2. Was heißt "historisch"?

Georg Essen weist in seiner wichtigen Untersuchung "Historische Vernunft und Auferweckung Jesu"[57] mit Recht auf die Antiquiertheit mancher "Selbstverständlichkeiten" in der zeitgenössischen "historisch-kritischen" Exegese hin. Auch er nimmt aber m. E. ein zentrales methodologisches Problem nicht hinreichend in den Blick: Wie hat die historische Wissenschaft überhaupt einen methodisch angemessenen Zugang zu Ereignissen der Geschichte, die die sittlich-praktische Vernunft einfordern? Ist Historie in der Lage, kritisch über die Gültigkeit des unbedingten Anspruchs, der von solchen Geschehnissen möglicherweise ausgeht, zu befinden? Dieses Problem ist noch vor der weitergehenden Frage zu lösen, ob historische Wissenschaft über den geschichtlichen Kern des Jesusereignisses, in dem es zweifellos um einen solchen unbedingten Anspruch geht, ein Urteil abzugeben vermag.

Eine positive Antwort auf diese Fragen erscheint mir - vor der

---

[57] Erkenntnistheoretische und methodologische Analysen zur theologischen Verantwortung des Osterglaubens, Diss. Münster 1993, erscheint voraussichtlich Mainz 1995.

"Kritik der Vernunft" stichhaltig - allein auf der Basis des von J. G. Fichte geleisteten Nachweises der interpersonalen Konstitution des Selbstbewußtseins möglich[58]. Hier wird (für Lessing und Kant noch undenkbar!) erstmalig aufgezeigt, wie eine autonome Freiheit durch Geschichte sittlich eingefordert werden kann. In seiner ursprünglichen Form ist ein für die sittlich-praktische Vernunft relevantes Geschichtsereignis ein interpersonales Geschehen, das Freiheit in der Aufforderung zu verantwortlichem Handeln freisetzt. Ein solches Faktum kann - dies ist die zweite wichtige Beobachtung gegenüber dem herkömmlichen Verständnis "kritischer Historie" - nicht außerhalb des Wirkraums jener ursprünglichen Inanspruchnahme von Freiheit durch Freiheit adäquat weitervermittelt wie auch "historisch-kritisch" erkannt werden.

Eine historische Kritik, die von außerhalb der durch Zeugnis (im Unterschied zu: Bericht) in Anspruch genommenen praktischen Vernunft "objektiv" richten möchte, erweist sich der geschichtlichen Wahrheit gegenüber in dem Maße als inadäquat, wie diese Wahrheit "anspruchsvoll" ist und daher nur im Wagnis von Freiheit wahrgenommen werden kann. D. h., "historische Vernunft" im traditionellen Verständnis wäre im höchsten Maß unangemessen gegenüber einem geschichtlichen Ereignis, in dem sich Gott eschatologisch zur Geltung brächte.

Diese hermeneutische Beobachtung legt nahe, sich auch in historischer, nicht nur in theologischer Absicht bei der Frage nach dem, was am irdischen Jesus zur Verantwortung des Glaubens belangvoll ist, primär an der Aussageintention der Werke zu orientieren, die von der Gemeinschaft der Zeugen als für die Sache Jesu authentisch anerkannt wurden. So ungewohnt dies erscheinen mag: dem Kanon käme damit auch eine wichtige Funktion innerhalb historisch-kritischen Fragens zu. Die historisch-kritische Analyse der neutestamentlichen Schriften ist zwar zur Ermittlung ihrer Sinnspitze von großem Nutzen. Versuche ich aber, das Zeugnis der neutestamentlichen Verfasser im Hinblick auf seinen geschichtlichen Wahrheitsgehalt historisch-kritisch (z. B. unter Beachtung der verschiedenartigen Aussagegattungen) nicht nur zu *ermitteln*, sondern es an dem "ursprünglichsten" Traditionsgut oder gar an dem aus winzigen Partikelchen rekonstruierten Torso des sog. "historischen Jesus" zu *messen*, so erhebt sich mit Rücksicht auf

---

[58] Näheres hierzu (Literatur!): Grundriß (s. Anm. 11) Kap. 9 und 15.

für die Basis des Glaubens belangvolle geschichtliche Wahrheit die Frage: Wer garantiert eigentlich, daß der Sinn der analysierten 'frühesten' Aussagen (dessen Erschließung ohnehin in hohem Grade hypothetisch bleibt) nicht auf Berichterstatter der Sache Jesu zurückgeht, die bei aller zeitlichen oder gar räumlichen Nähe zum irdischen Jesus seiner eigentlichen Wirklichkeit gegenüber wenig Sinn aufgebracht haben? Man stelle sich vor, es stünde uns ein Protokoll des Abendmahlsgeschehens zur Verfügung, verfaßt noch im Saale, von einem der Jünger, die kurz darauf im Garten einschliefen und dann die Flucht ergriffen: Was wäre sein historischer Wert im Hinblick auf den Kern des Ereignisses?

Bisher finden sich in der historisch-kritischen Exegese nur wenige ernsthafte Ansätze dazu, den (redaktionsgeschichtlich zu ermittelnden) Zeugnisgehalt der Evangelien nicht nur theologisch, sondern auch als für die Frage nach dem wirklichen Jesus der Geschichte relevant zu werten[59]. Das dürfte letztlich mit dem Zusammenbruch des Vertrauens in (kirchliche) Überlieferung als dem eigentlichen Ursprung historisch-kritischer Forschung zusammenhängen: aus "historein" im Sinne der Gegenwärtigsetzung der Ursprünge im Lebenszusammenhang einer Gemeinschaft wurde "Historie". Dennoch erscheint mir die Einsicht überfällig, daß sittlich bzw. religiös "anspruchsvolle" Geschichtswahrheit nur innerhalb von lebendiger *traditio*[60] (oder *narratio* im Sinne von P. Ricoeur und J. B. Metz) angemessen erfaßt werden kann.

Mit der Feststellung dieser notwendigen Erkenntnisbedingung sind natürlich die schwierigen Fragen nach *hinreichenden* Kriterien für die Identifizierung der wirklichen geschichtlichen Wahrheit in der jeweiligen (immer auch verstellenden) Perspektive der engagierten Zeugen noch keineswegs beantwortet. Immerhin lassen sich nun einige Probleme wenigstens präziser stellen als im Horizont

---

[59] Im Hinblick auf die an der hier vorgelegten *Quaestio disputata* Beteiligten vgl. etwa das Urteil von *G. Lüdemann*, Die Auferstehung Jesu. Historie, Erfahrungen, Theologie, Stuttgart 1994, 174: "In religiöser Sprache können auch in späteren Deutungen Elemente des Ursprünglichen enthalten sein. Ebenso ist ja auch das Joh-Ev z. B. in seinen großen "Ich-bin-Reden" Jesu historisch weit vom geschichtlichen Jesus entfernt. Aber wer wollte bestreiten, daß in dem Kern dieser Reden doch zumindest ein wesentlicher Teil der Botschaft Jesu enthalten ist bzw. aufbewahrt wurde?" *R. Pesch* griff in seinem Podiumsbeitrag mit neuen Akzenten den Faden auf, den er schon seit langem verfolgt, vgl. *ders.*, Das Markusevangelium, 2. Teil, Freiburg 1977, 560-567; dazu *H. Verweyen*, Christologische Brennpunkte, Essen ²1985, 135.
[60] Vgl. *H. Verweyen*, Grundriß (s. Anm. 11) Kap. 2.1; *ders.* Der Weltkatechismus (s. Anm. 29) Kap. 2.3; 3.1; 4.4.

traditioneller historisch-kritischer Methodik.

Zum einen kommt eine Überwindung des "garstigen breiten Grabens" (3.1) in Sicht, die weder ein rein fideistischer Sprung (wie in der Dialektischen Theologie) noch eine aus nur halbwegs sicheren Materialien zusammengeleimte Brücke (wie in der "historischen Apologetik") ist. Schon John H. Newman war bemüht, in seiner Theorie der "convergent probabilities" von der falschen, weil der theoretisch-demonstrativen Vernunft verhafteten Alternative "absolute" und "bloß relative" Gewißheit wegzuführen[61]. Das problematische Verhältnis von geschichtlicher Bedingtheit und unbedingter Inanspruchnahme der sittlich-praktischen Vernunft durch ein Faktum der Geschichte läßt sich aber auch nicht durch Approximation aus der Welt schaffen[62]. Ein unbedingter, geschichtlich ergehender Anruf ist nur in der Spur des Freiheit ursprünglich konstituierenden Ereignisses zu vernehmen, in dem der unendliche Wert meines Ich von einer anderen, ebenso zu achtenden Freiheit anerkannt wird. In der Geschichte ergehende Worte unbedingten Sollens, die dem kritischen Blick standhalten, gründen in dem vorausgehenden Wort: "Du sollst sein". In dieses Wort *hinein* muß zwar immer wieder kritisch, d. h. genau unterscheidend, gefragt werden. Es ist aber weder "von hintenherum" objektiv zu sichern, noch in dem Sinne "ungewiß" und bloße Basis einer Hoffnung, die "immer neu von Unsicherheiten gefährdet" bleibt, wie K.-H. Ohlig das Problem umschreibt[63].

Zum anderen läßt sich im Blick auf die hier speziell anstehenden Fragen sagen, daß die Annahme fehlgeleitet ist, die geschichtliche Basis des Osterglaubens müsse vornehmlich über die Rückfrage nach den frühesten Fixierungen des Osterkerygmas geklärt werden. Ein solcher Weg führt bestenfalls bis zur Ermittlung der Kategorie(n), in denen sich die Überzeugung: "Jesus lebt trotz seiner Hinrichtung und ist in diesem Leben aus und in Gott unsere Zukunft", ursprünglich niedergeschlagen hat. Diese Kategorie scheint in der Tat die apokalyptische Vorstellung der "Auferweckung am jüngsten Tag", übertragen auf das "Jetzt" Jesu, gewesen zu sein. Mit einem derartigen rekonstruierten Faktum ist aber noch nichts

---

[61] Vgl. Grundriß (s. Anm. 11) 387-384.

[62] Vgl. ebd. 392f. zu B. Welte.

[63] Vgl. *Ohligs* Beitrag in diesem Buch "Thesen zum Verständnis und zur theologischen Funktion der Auferstehungsbotschaft", bes. 2.3-5.

für die Frage gewonnen, ob die Verwendung jener Metapher den Kern der ursprünglichen Ostererfahrung adäquat wiedergibt.

Form- bzw. traditionsgeschichtlich läßt sich z. B. auch zeigen, daß das machtvolle Wirken Jesu seinen frühesten sprachlichen Niederschlag in den Klischees von damals allgemein geläufigen "Wunderreports" gefunden hat. Erst den Evangelisten ist es gelungen, durch jene Erzählformen hindurch den Blick auf das eigentliche Geschehen zu lenken[64]. Wie dominant die gängigen Sprachmuster waren und blieben, zeigen die bald darauf aufblühenden apokryphen "christlichen" Wundergeschichten.

Mit analogen Sprachvorgängen ist auch angesichts der ursprünglichen Ostererfahrung zu rechnen. Wer und was kommt nach einem Ereignis, das Menschen von Grund auf die Sprache verschlägt, erstmals wieder zu Wort? Gewöhnlich handelt es sich um Leute, die in einer bestimmten Gruppe ohnehin das Sagen haben. Und gerade die Wortführer greifen zur Verkündigung einer neuen, umstürzenden Erkenntnis, die ihre Sprachlosigkeit überwinden hilft, am ehesten auf allen geläufige Kategorien zurück, die besonders geeignet erscheinen, einen gemeinsam erfahrenen Schock gemeinsam zu bewältigen. Ein 'neues Lied', das im Umbruch gewohnter Klischees der Tiefe erfahrener Gnade wirklich Raum gibt, gewinnt in der Öffentlichkeit zumeist erst nach und nach Gestalt. Hierzu bedarf es einer Arbeit, die alle geistigen Kräfte des Menschen in Anspruch nimmt[65].

Bei der ursprünglichen Ostererfahrung kommt hinzu, daß Scham und Reue der Jünger hinsichtlich ihres eigenen Verhaltens zumindest *ein* Moment dieser plötzlich aufleuchtenden Evidenz vom Leben Jesu trotz seiner Hinrichtung ausgemacht haben müssen[66]. Von hierher liegt (auch ohne Anwendung tiefenpsychologischer Spezialkenntnisse) die Annahme nahe, daß die Erstzeugen lieber

---

[64] Näheres: Grundriß (s. Anm. 11) Kap. 16.

[65] Vgl. die Literaturhinweise in: Grundriß (s. Anm. 11) 413, Anm. 74.

[66] *L. Oberlinner* zitiert mit teilweiser Zustimmung in seinem hier abgedruckten Beitrag (II,2) G. Lüdemann: "Nicht Jesus oder seine Botschaft bedurften des 'Osterereignisses', sondern Petrus und die Jünger", fügt aber hinzu: "Allerdings ist diese Aussage unbedingt zu ergänzen durch den Hinweis, daß die Jünger in diese für sie letztlich ausweglose Situation nicht durch eigene Schuld und durch eigenes Versagen gekommen sind, sondern dadurch, daß sie sich (a) auf diesen Jesus und seine Botschaft eingelassen hatten, und daß (b) der Kreuzestod das Recht ihrer Glaubensentscheidung in Frage gestellt hatte." Diese Generalabsolution der Jünger erscheint mir angesichts der zur Verfügung stehenden Quellen schwer nachvollziehbar.

den Auferweckungsgedanken zusammen mit anderen apokalyptischen Kategorien - wie göttliche Inthronisation des Messias-Königs, Herrschaft und Wiederkunft des Christus - bei ihrer nun mutigen Verkündigung aufgegriffen haben als etwa die Erinnerung an den Gottesknecht. Diese Prophetie von einem, der wegen der Sünden der Vielen zu Tode gebracht, deswegen als gottlos beargwöhnt wurde und dennoch bei Gott endgültige Geborgenheit fand, kommt zwar der Gestalt wie dem Geschick Jesu wohl doch näher als "die Prachtgewänder, mit denen [Jesus schon seit der frühesten Zeit] angezogen war"[67]. Mit Hilfe der Auferweckungsmetapher konnten Petrus und die anderen Wortführer aber die österliche Frohbotschaft allen verständlich predigen, ohne allzuviel von ihrer eigenen Feigheit öffentlich eingestehen zu müssen[68]. Nimmt man die gesellschaftskritische Rezeption der Gadamerschen Hermeneutik (sei es in der "Frankfurter Schule", sei es im Umkreis von Michel Foucault) ernst, so wird man zugeben müssen, daß die menschlich naheliegende Versuchung, Ostern lieber triumphal als selbstkritisch zu künden, auch heute noch dazu führen könnte, die *Metapher* "Auferweckung/Auferstehung" für die damit gemeinte *Sache* zu nehmen.

3.3. Zum gegenwärtigen Diskussionsstand

Eine nahezu einhellige Übereinstimmung in der heutigen Forschung besteht hinsichtlich der Annahme, daß so etwas wie "Ostererscheinungen" bald nach dem Tode Jesu stattgefunden haben und diejenigen, die über derartige "Widerfahrnisse" *berichten*, einen solchen Wandel in ihrer Lebenspraxis an den Tag legen, daß man nach einer zureichenden Erklärung für diese sich in ihrem Reden und Tun *bezeugende* Entmachtung des Todes zu suchen hat.

---

[67] Vgl. A. *Schweitzer*, Geschichte der Leben-Jesu-Forschung (s. Anm. 55) 48. Im Hinblick auf die hier von Schweitzer charakterisierte Intention, Jesus von diesen Prachtgewändern wieder zu befreien, wird man der "alten Rückfrage" wohl noch immer zustimmen können.

[68] Zur traditionsgeschichtlichen Frage, wann und auf welcher Erkenntnisbasis erstmals die Erinnerung an Jes 53 in bezug auf Jesus aufkam, vgl. Grundriß (s. Anm. 11) 475-477. Der oft zu findende Hinweis, in der jüdischen Theologie sei zur Zeit Jesu die Verbindung zwischen Messias und Gottesknecht nicht gezogen worden und habe deswegen die Übertragung von Jes 53 auf Jesus nicht nahegelegen, leitet fehl: Wer sagt denn, daß diejenigen, die als erste in Jesus den Gottesknecht erkannten, besonders glücklich über das schon bald dominierende Bekenntnis zu "Jesus, dem Christus" (mit all den Implikationen des Sprachspiels "Herrschaft") waren?

Erhebliche Differenzen gibt es bei der Frage nach dem "Wie" jener Widerfahrnisse und vor allem nach deren "Was", insofern darin ja wohl der Grund für den genannten Lebenswandel und die eigentliche Basis des Osterglaubens anzusetzen ist. In der Vielzahl von Stimmen heben sich im Augenblick zwei miteinander unvereinbar scheinende Positionen scharf voneinander ab. (1) Die Mehrzahl der Exegeten und systematischen Theologen nimmt an, daß sich die von so gut wie allen anerkannten obengenannten "Fakten" zureichend nur durch ein Handeln Gottes *nach* dem "Karfreitag" *an* dem toten Jesus erklären lassen - wie die neutestamentlichen Berichte über eine Begegnung mit dem auferweckten bzw. auferstandenen Jesus ja auch nahezulegen scheinen. (2) Eine Minorität von Exegeten und systematischen Theologen[69] nimmt an, daß der zureichende Erklärungsgrund für die genannten Fakten bereits mit dem Abschluß des Lebens Jesu gegeben war. Die österlichen Widerfahrnisse und der damit wohl zusammenhängende Lebenswandel der Auferstehungszeugen werden dementsprechend als *Durchbruch* bzw. plötzlich aufgehende Konsequenz einer Erfahrung verstanden, die die Jesus Nachfolgenden zwar schon während des Lebens Jesu bzw. angesichts seines Sterbens (oder, im Fall des späteren Apostels Paulus, während seiner Begegnung mit der frühen Kirche als "Saulus") gemacht, zunächst aber verdrängt, d. h. nicht adäquat wahr-genommen hatten.

Bei dem folgenden Versuch, die beiden Positionen, insbesondere die damit jeweils verbundenen Schwierigkeiten kurz gegeneinander abzuwägen, lasse ich zwei Probleme außer acht, die in den vorangehenden Beiträgen relativ ausführlich besprochen wurden, mir aber für die Frage nach der eigentlichen Basis des Osterglaubens wenig herzugeben scheinen. Die nicht enden wollende Diskussion um die Historizität des "*leeren Grabes*" wäre m. E. nur dann fundamentaltheologisch von Belang, wenn der Leichnam Jesu nicht nur tatsächlich unverwest geblieben wäre (oder nicht), sondern auch nicht hätte verwesen *dürfen*. Diese (historisch nicht entscheidbare) Voraussetzung ergibt sich nur im Horizont einer streng apokalyptischen Vorstellung und Gleichsetzung der Metapher "Auferstehung" mit der dadurch zum Ausdruck gebrachten Sache. Aber auch die Frage nach dem "*Wie*" *der Erscheinungen* scheint

---

[69] Unter den Disputanten des in diesem Band dokumentierten Gesprächs mit G. Lüdemann hat sie die Majorität, s. die Einführung des Herausgebers.

mir fundamentaltheologisch kaum relevant zu sein. Ob sie wirklich den Charakter einer "visio", d. h. allgemein: eines äußeren oder inneren *Sehens* hatten, ist m. E. selbst für den Kern der Theorie von G. Lüdemann nicht von Belang. Ob (äußeres oder inneres) "Wort" oder "Bild": entscheidend ist allein, ob hier Jesus, der als letztgültiger Repräsentant Gottes aufgetreten war, als trotz seiner Hinrichtung lebend wirklich erkannt wurde.

In dieser *Quaestio disputata* bleibt jene theologische Position unberücksichtigt, die die Notwendigkeit, den Osterglauben vor der historischen Vernunft zu verantworten, generell verneint. Oben (3.1) wurde kurz auf die "Dialektische Theologie" hingewiesen, wo diese Position ausdrücklich bezogen und mit theologischen Argumenten verteidigt wird. *Implizit* dürfte eine große (und wachsende) Zahl von Christinnen und Christen zu diesem "Lager" zu rechnen sein. Es läßt sich aber zeigen, daß auch Vertreter der hier als "Position 1 und 2" bezeichneten Interpretationsansätze an entscheidenden Punkten auf dem Sprung sind, in jenes "fideistische" Lager hinüberzuwechseln.

Position 1: Der Gott des Lebens handelte *nach* dem Karfreitag *an* dem hingerichteten Jesus.

Dieser Erklärungsversuch der allgemein anerkannten "Osterfakten" bleibt nicht nur eine befriedigende Antwort auf die in Abschnitt 1 und 2 aufgezeigten Fragen schuldig. Er vermag auch keine tragfähige Brücke über den "garstigen breiten Graben" (3.1) zu weisen. Die Kluft zwischen Jüngern "erster" und "zweiter Hand" bleibt bestehen, solange das *Zeugnis* der Erstverkündiger sich wesentlich auf das "Sehen eines Auferweckten" stützt. Dies letztere können wir, die Jünger zweiter Hand, nur mittels eines *Berichts* entgegennehmen, der im besten Falle höchstwahrscheinlich zuverlässig ist. Ein solches "Sehen" wird uns aber nicht selbst im *Zeugnis* für die Entmachtung des Todes transparent. Entmachtung des Todes kann auch anders als über das "Sehen eines Auferweckten" evident werden[70].

---

[70] Dieses ungelöste Problem wird deutlich gesehen von *K. Rahner*, der es mit Hilfe der "transzendentalen Auferstehungshoffnung" überbrücken möchte. Vgl. Anm. 1 mit H. Verweyen, Grundriß (s. Anm. 11) 328f; ausführlich *ders.*, Christologische Brennpunkte (s. Anm. 59) 32-35. - Auch *H. Kessler* stellt sich dem Problem. Sein Lösungsversuch (s. Anm. 28, 1185-1187) krankt daran, daß er die österlichen "Offenbarungswiderfahrnisse" als den "hinreichenden Grund des Osterglaubens" der apostolischen Urzeugen versteht, den Glauben der Späteren hingegen letztlich auf die Praxis der Glaubenszeugen gegründet sieht, diesen Grund dann aber wieder nur als fünftes und

In diesem Band weisen Broer, Lüdemann und Ohlig nachdrück-
lich darauf hin, daß der erste Erklärungsversuch - nach Entmystifi-
zierung aller anderen, früher in der Apologetik herangezogenen
"supranaturalen Fakten" - sich an der Helligkeit des erschienenen
Auferweckten (bei gleichzeitiger Verdunklung unangenehmer
Fragen, *worin* diese Helligkeit denn eigentlich bestanden haben
solle), wie an einem letzten Quentchen von Supranaturalität fest-
klammere. Dieser Hinweis darf zwar nicht verdecken, daß für
Position 2, sofern sie sich fundamentaltheologisch (nicht bloß
religionswissenschaftlich) versteht, die Entdivinisierung alles
Wunderbaren ein nicht weniger gewichtiges Problem aufwirft (s.
unten). Die an Position 1 im Horizont geschichtswissenschaftlicher
Argumentation aber in der Tat zu richtende Entscheidungsfrage
lautet: Welchen Zugang hat ein Historiker (d. h. jemand, der bei
methodischer Konsistenz nicht auf ein Mindestmaß an Analogie zu
allgemein menschlicher Erfahrung verzichten darf) zu der behaupteten Begegnung mit einem, der früher tot war, jetzt aber lebt?
Wenn es hier tatsächlich Analogien gibt - und der Büchermarkt
liefert sie seit einigen Jahrzehnten zuhauf - : sind diese nicht eher
dem Bereich der Parapsychologie als dem der Historie zuzuordnen?

Position 2: Die Basis des Osterglaubens ist im Leben und Sterben Jesu selbst zu suchen.

Innerhalb dieses Erklärungsversuchs besteht zwar nicht die
Gefahr, bei der Fahndung nach der letzten noch verbleibenden
Fußspur des Supranaturalen im Treibsand dieser Welt unter die
Esoteriker zu geraten. Soll die Verantwortung von Glaubensaus-
sagen vor der historischen Vernunft aber wirklich etwas mit der
Basis des Glaubens an ein bereits ergangenes letztgültiges Wort
Gottes zu tun haben, so muß zumindest *ein* Punkt aufgezeigt werden, wo dieses "Ein-für-allemal" in der Geschichte wahrnehmbar
geworden ist. Insofern Position 2 die Frage nach der Basis des
Osterglaubens als Teil der Rückfrage nach dem historischen Jesus
versteht, verläßt sie gewiß nicht den Boden des Analogieprinzips.
Was an diesem rekonstruierten Torso des Manns von Nazaret kann
aber mit Recht als "letztgültig" und "ein-für-allemal" bezeichnet
werden? Zu dem Problem des "garstigen breiten Grabens" (3.1),
d. h. der gnoseologischen Frage, *wie* ein Unbedingtes historisch

---

"stärkstes Motiv der Glaubwürdigkeit der Auferstehungsbotschaft" (ebd. 1187) in
einer Liste von Konvergenzargumenten aufführt.

weitervermittelt werden kann, kommt bei durchgehender "Entsupranaturalisierung" des irdischen Jesus das Problem des ausfallenden "Was" von Unbedingtheit hinzu.

Nicht nur bei den Vertretern der Position 1 läßt sich daher immer wieder ein Hin- und Herpendeln zwischen äußerster kritischer Akribie und Fideismus (der fröhliche Übergang zum "Erschalle laut, Triumphgesang" nach getaner Arbeit in der Anatomie des Neuen Testaments) beobachten[71]. Auch im Bereich von Position 2 gibt es abrupte Übergänge[72]. Bleibt - wenn man von der bewußten Ablehnung einer historischen Verantwortung des Osterglaubens in der "Dialektischen Theologie" absieht - als einzige nicht-sprunghafte Alternative dann nur eine recht vage Hoffnungsperspektive, die sich nicht zuletzt auf Jesus stützt[73]?

Der von mir unternommene Versuch einer kritischen Verantwortung des Osterglaubens stellt insofern noch einmal einen Sonderweg innerhalb von Position 2 dar, als ich - auf der Basis der hier (3.2) nur kurz umrissenen hermeneutischen Infragestellung der eingespielten historischen Methodik im Hinblick auf solche Geschichtsereignisse, die möglicherweise eine unbedingte Inanspruchnahme der sittlich-praktischen Vernunft darstellen - vor dem Forum historischer Vernunft aufzuzeigen bemüht bin, daß im irdischen Jesus selbst die letztgültige Selbstmitteilung Gottes erkennbar wurde.

Diese Perspektive ist der bislang allein als historisch-kritisch geltenden Sicht geradezu diametral entgegengesetzt. Bisher gilt das traditionsgeschichtlich Ursprünglichste als das eigentlich gesuchte "Juwel". Alles Spätere - in unserem Zusammenhang besonders die Osterberichte der Evangelien - wird demgegenüber bestenfalls als theologisch wertvolle "Fassung" akzeptiert, schlimmstenfalls als dem Juwel unangemessenes "Metall" verworfen.

---

[71] Wohin dieses Wandern zwischen zwei Welten in der (auch lehramtlichen) Verkündigung führt, habe ich zu skizzieren versucht in: Der Weltkatechismus (s. Anm. 29) bes. 58-61, 81-86.

[72] Vgl. etwa G. Lüdemann, Die Auferstehung Jesu (s. Anm. 59) 200: "Vor Ostern war all das bereits vorhanden, was nach Ostern endgültig erkannt wurde. Dazwischen lag freilich die blutige Tatsache des Kreuzes. Durch das Kreuz hindurch hat - vom Glauben geurteilt - sich Jesus den Jüngern als der Lebendige erwiesen. Dabei ist klar, daß niemand historisch beweisen kann, daß Jesus das Kreuz bewußt auf sich genommen hat, es kann aber auch nicht widerlegt werden. Der Glaube erkennt im Kreuz Jesu aber die Hinnahme des Todes als Lebensakt. Er erkennt das tiefste heimlichste 'Ja' Gottes dort, wo das Herz zunächst nichts als das 'Nein' vernimmt."

[73] Vgl. den Beitrag von K.-H. Ohlig in diesem Band.

Bei der Frage nach der geschichtlichen Wahrheit des im Neuen Testament über Jesus Berichteten geht es jedoch im Kern um ein den Menschen unbedingt beanspruchendes Geschichtsereignis. Dessen frühester sprachlicher Niederschlag unterliegt (gesetzt, man kann den ursprünglichen Sinn solcher Textfragmente überhaupt noch einigermaßen genau ermitteln) den im vorigen Abschnitt (3.2) formulierten Bedenken: Setzen sich hier, wie so oft, möglicherweise gerade diejenigen durch, die die Herrschaft über das Wort ausüben? Diese Position läßt sich am besten behaupten, indem man unerhört Neues, sprachlich kaum Faßbares in allen geläufigen Kategorien weitergibt. Wer garantiert, daß hier (von der Gemeinschaft der auf das in Anspruch nehmende Geschichtsereignis Offenen her gesehen) Wahrheit nicht durch nur "halbes Hinhören" verzerrt ist? Als bleibend gültiger schriftlicher Niederschlag des "Jesus-Ereignisses" gilt denen, die sich davon in Anspruch nehmen ließen, jedenfalls nur der Sinn, den die Verfasser der neutestamentlichen Schriften intendiert haben. So schwer es dem modernen, aus dem Zusammenbruch des Vertrauens in Kirche geborenen Historiker auch fallen mag, den "Kanon" als ein für die ursprüngliche Wahrheit des im Neuen Testament Behaupteten relevantes Moment anzusehen, so entschieden muß er sich gegen die Gewöhnung wehren, die "Sache Jesu" nach dem Verfahrensmodell "Verkehrsunfall - Augen'zeugen' - über dem Geschehenszusammenhang stehender Richter" zu behandeln.

Schließt man die "Position 2" nicht von vornherein aus der Diskussion aus, dann muß der Historiker auch von einer weiteren, liebgewordenen Selbstverständlichkeit Abschied nehmen. Die von den Evangelien gelieferten "Informationen" über Jesus wären, so heißt es, in ihrer vorliegenden Form wesentlich unter Einfluß der erst nach dem Karfreitag durch den Auferstandenen selbst gelieferten "Informationen" zustande gekommen, brächten also nie den "irdischen Jesus pur" zur Sprache. Position 2 besagt aber gerade, daß die "Osterwiderfahrnisse" lediglich Durchbruch des bereits vor Eintritt des Todes Jesu Erfahrenen, zunächst aber noch nicht adäquat Wahr-genommenen sind.

4. Die Basis des Osterglaubens im Blick der neutestamentlichen Zeugen

Alle neutestamentlichen Zeugen schreiben auf der Grundlage von Berichten über eine Auferweckung bzw. Auferstehung Jesu und von Bekundungen, daß diese Tat des lebenschaffenden Gottes sehr bald nach dem Tode Jesu in besonderen Widerfahrnissen offenbar geworden sei. Sie werten aber sowohl die hier zur Anwendung kommende apokalyptische Auferstehungsmetapher als auch die österlichen Widerfahrnisse sehr verschieden. Hermeneutische Regel für den folgenden Überblick ist die Annahme, daß bei Geschichtsereignissen, die die sittlich-praktische Vernunft unbedingt einfordern, Wahrheit nur innerhalb der Zeugenkette der davon wirklich in Anspruch Genommenen und je nach dem Maße ihrer Offenheit für den hier vermittelten Sinn kritisch zu ermitteln ist. Im Hinblick auf Jesus kann diese Wahrheit nur "Aug' in Aug'" mit der je verschiedenen Theologie der neutestamentlichen Zeugen erfragt werden, in der nicht nur die oben genannten *Berichte* und *Bekundungen* zu Wort kommen. Hier entfaltet auch eine weit darüber hinausgehende, von uns heute nicht mehr rekonstruierbare Vielfalt lebendigen *Zeugnisses* für die an Jesus offenbar gewordene Todesentmachtung ihre Wirksamkeit.

4.1. Paulus

(1) Die historisch-kritische Suche nach einer vor der Vernunft zu verantwortenden Basis des Osterglaubens ist seit langem auf ein winziges Stücklein des Neuen Testaments fixiert: 1 Kor 15,3-8. Hier scheint die Erfahrung eines Augenzeugen durch diesen selbst mit einer Fülle von anderen Begegnungen mit dem Auferstandenen gleichgesetzt, von denen zumindest einige sich schon sehr früh in der von Paulus herangezogenen Tradition niedergeschlagen haben. Die Kalamität fängt damit an, daß man diese Gleichsetzung weitgehend für bare Münze nimmt. Was *Gott* im *Inneren* des Paulus bewirkt hatte, die Offenbarung seines Sohnes (vgl. Gal 1,15), soll von derselben Art sein wie die (natürlich bloß Männern gewährte) Großkundgebung des Auferstandenen vor "mehr als fünfhundert Brüdern auf einmal" (vgl. 1 Kor 15,6)? Noch undurchsichtiger wird es, wenn man als Kern der Ostererfahrung das Wiedererkennen des Gekreuzigten im jetzt Auferstandenen ansieht. Zumindest Paulus konnte diese Identifizierung nicht vornehmen, da er ja den

irdischen Jesus allem Anschein nach nicht gekannt hat. Erschwerend kommt hinzu, daß ein gewichtiges Motiv für die Gleichsetzung all dieser Erscheinungen das Bemühen des Paulus darstellt, sein "mißgeborenes Apostolat" als gleichrangig mit dem Zeugnis der durch die allerersten Widerfahrnisse ausgewiesenen "Urapostel" zu legitimieren (vgl. 1 Kor 15,8-11 mit 9,1).

Gewiß dient der Hinweis auf die vielen Erscheinungen dem Apostel auch - und hier vielleicht vor allem - dazu, die von einigen Korinthern offenbar bestrittene leibliche Auferstehung von den Toten zu untermauern (vgl. 1 Kor 15,12-34). Gerade in diesem Zusammenhang fällt der glühende Verfechter der Rechtfertigung allein aus dem Glauben aber in eine äußerst prekäre Lohnperspektive zurück (vgl. 1 Kor 15,32f). Soll man bei der Frage, worin nach Paulus die befreiende Evidenz besteht, daß Jesus trotz seiner Hinrichtung endgültig in und aus Gott lebt und so Heil für die ganze Schöpfung verbürgt, sich vorrangig von dieser Engführung der Perspektiven in 1 Kor 15 leiten lassen?

(2) Wo Paulus versucht, sein gesamtes Evangelium in eine Kurzformel zu fassen, spricht er - in demselben Brief an die Korinther! - von dem "Wort vom Kreuz"[74]. Nirgends findet sich eine alles umfassende Kurzform wie "Wort von der Auferstehung". Läßt dies allein nicht schon auf eine differenziertere Sicht der Dinge schließen, als das Verständnis von "Auferweckung" als ein Handeln Gottes *nach* dem Karfreitag, *an* dem toten Jesus hergibt[75]?

Merkwürdig bereits die frühe Formulierung, daß bei der Parusie "zuerst die in Christus Toten [sic!] auferstehen werden" (vgl. 1 Thess 4,16). Sind sie bis dahin "ganz tot" oder nicht doch schon "in Christus" geborgen? "Einer starb für alle, also sind alle gestorben" (2 Kor 5,14). Dieser Satz ergibt nur Sinn, wenn schon das *Sterben* Jesu ein Heilsereignis ist, das eschatologisch alle umfängt. Eine ähnliche Implikation dürfte Röm 7,4 vorliegen: "So seid auch ihr, meine Brüder, dem Gesetz getötet durch den Leib Christi ...".

"Wie es also durch die Sündentat eines einzigen für alle Menschen zur Verurteilung kam, so wird es auch durch die gerechte Tat eines einzigen für alle Menschen zur Gerechtsprechung kommen." (Röm 5,18) "Denn wie in Adam alle sterben, so werden in Christus

---

[74] Vgl. 1 Kor 1,18 mit 2,2.
[75] Im folgenden sind nur einige knappe Hinweise möglich. Vgl. meine ausführliche Argumentation zur "Leib-Christi-Theologie" des Paulus in: Grundriß (s. Anm. 11) Kap. 21.

alle lebendig gemacht werden" (1 Kor 15,22). Der unmittelbar vorausgehende Satz versteht die Auferstehung der Toten ausdrücklich ebenso als Folge des Tuns Jesu wie den Tod als Folge des Tuns Adams (V. 21). Das neue Leben für alle ist der Tat Jesu wie der Tat des Vaters zuzuschreiben: das sprengt den apokalyptischen Horizont von Grund auf.

Die Taufparänese Röm 6 im unmittelbaren Anschluß an die Gegenüberstellung der "alle einbeschließenden Stammväter" (so E. Schweizer) Adam und Christus ermöglicht es, die Vorstellung des Apostels hinsichtlich des lebenschaffenden Sterbens Jesu näher zu bestimmen[76]. Der Täufling wird in den Ort hineingetaucht bzw. "mit Christus begraben", der früher die tiefste Tiefe des Unheils war, durch den Tod Jesu aber zur Heilssphäre für alle wurde. Röm 10,7 ist dieser Ort (im Anschluß an Ps 107,26) als ἄβυσσος bezeichnet. Auch das Zitat von Hos 13,14 in 1 Kor 15,54f verweist in diese Richtung: die Scheol, das alle verschlingende Chaosmonster, ist in den Sieg hinein verschlungen.

Auf diesem Hintergrund[77] wage ich die folgende Interpretation: Basis des Osterglaubens ist für Paulus keine glanzvolle Erscheinung von oben herab, in der ihm Jesus als der zur Rechten des Vaters erhöhte Christus und Herr offenbart worden wäre. Primäre Basis ist für ihn vielmehr die Evidenz, daß Jesus durch sein Sterben den Tod, das Zentrum der den Kosmos bedrohenden Chaosmächte, von innen her entmachtet hat. Der Hintergrund der bei Paulus durchschimmernden Scheol-Symbolik erlaubt etwa folgende Vorstellung: Der alles verschlingende Todesschlund vermochte Jesus, den einzig sündlosen Nachkommen Adams, nicht zu umfassen. Er barst entzwei. An der Stelle dieses vernichteten Grundes aller Weltbedrohung steht nun der Leib Christi als Heilssphäre für alle offen. In diesen "korporativ-persönlichen" Christus (vgl. Röm 6,3; Gal 3,27) oder Leib Christi (vgl. 1 Kor 12,12f) hinein werden wir getauft. In der Eucharistiefeier ist dieser "Leib-für", d.h. die in seinem Sterben definitiv gewordene und nun auf alle ausgreifende Proexistenz Jesu, die Mitte der Gemeinde (vgl. 1 Kor 11,24). Durch die Teilhabe daran (vgl. 1 Kor 10,17) bzw.

---

[76] Zum Verständnis des Folgenden wichtig ist die Entscheidung für eine Übersetzung des βαπτίζειν εις c. Acc. durch "taufen in - hinein". Siehe hierzu: Grundriß, 521-523. Die dortige Anm. 27 ist durch den Hinweis auf die Namengebung für Moses (Ex 2,10) zu ergänzen.

[77] Vgl. auch oben (2.2) zu "Scheol".

"in Christus" (vgl. Röm 12,5) bildet die Kirche einen Leib, ist sie "Leib Christi" (vgl. 1 Kor 12,27) - nie jedoch *der* Leib Christi", sondern dessen Transparenz, die ihn erfahrbar macht (bzw. machen soll: vgl. 1 Kor 11,20). In der Konfrontation mit diesem, die Todesentmachtung durch Jesus Christus gegenwärtig setzenden Leib Christi wurde Paulus "Ostern" offenbar - ganz im Sinne des lukanischen: "Saul(us), Saul(us), warum verfolgst du mich?"[78]

Diese Primärerfahrung mußte Paulus theologisch mit der im apokalyptischen (dem Apostel wohl vertrauten) Horizont verkündeten Botschaft von der Auferweckung verbinden - eine ähnlich schwierige Aufgabe, wie sie die Evangelisten etwa bei der Korrektur der ihnen überlieferten "Wunderreports" aufgrund ihrer primären Erfahrung der in der Kirche bezeugten Jesusmacht vor sich sahen[79]. Daß hier Brüche auftreten, ist nicht verwunderlich. Sie treten besonders deutlich zutage bei der schwierigen Aufgabe, die Spannung zwischen dem jetzt schon errungenen und doch noch bis zur Parusie ausstehenden Heil zu thematisieren. So erlaubt die apokalyptische Metaphorik Paulus z. B. in 1 Kor 15 - wovon wir ausgegangen waren -, die von ihm durchaus als Gegenwart erfahrene Todesüberwindung in der Auseinandersetzung mit möglicherweise schon gnostischen Strömungen als noch ausstehend zu beschreiben (vgl. bes. 1 Kor 15,26.54).

4.2. Matthäus und Lukas

Es ist bemerkenswert, daß keiner der Evangelisten die Erscheinungen des Auferstandenen als notwendige Basis des Osterglaubens ansieht.

Auch für *Matthäus* zerbricht bereits in der Todesstunde Jesu die Macht der Scheol (vgl. 27,51f)[80]. Die Frauen glauben der Osterbotschaft des Engels, noch bevor ihnen Jesus erscheint (vgl. 28,8-10). Auch die abschließende Erscheinung Jesu auf dem Berg in Galiläa dient sicher nicht dem Nachweis der Auferstehungs-

---

[78] Vgl. Apg 9,4; 22,7; 26,14. Meine Interpretation der Ostererfahrung des Paulus dürfte mit der von G. Lüdemann gebotenen kompatibel sein, wenn ich auch seiner psychoanalytischen Argumentation nur bedingt folgen kann.

[79] Vgl. Grundriß (s. Anm. 11) 420-422.

[80] Man muß im Auge behalten, daß das 27,51 wie 28,2 erwähnte "Beben" eine Erschütterung der Chaosmacht darstellt, wie schon 8,24 wegen des alttestamentlichen Hintergrundes der Wundererzählung erkennbar wird.

wirklichkeit Jesu[81].

Lukas wertet unzweifelhaft die Erscheinungen des Auferstandenen "während vierzig Tagen" als Beweise des Lebens Jesu nach seinem Leiden[82]. Dennoch sieht er sie nicht als eine *notwendige* Voraussetzung für den Osterglauben an. Warum sonst der Tadel der Frauen am Grabe: "Was sucht ihr den Lebenden bei den Toten?" (24,5) und der Vorwurf der Unverständigkeit und Herzensträgheit an die beiden Jünger, die die Schriften so schlecht verstanden haben (24,25)[83]?

4.3. Johannes

Das Osterkerygma des vierten Evangelisten läßt sich m. E. am besten als eine "geistliche 'relecture'" von Passagen bei Lukas verstehen, die ihm als besonders relevant erscheinen. Wichtig ist dabei die enge Verknüpfung mit der (sog.) Lazarusperikope (Joh 11), die vom Evangelisten wohl eigens als Hintergrund für das Osterkerygma gestaltet ist. Dieser äußerst komplexe Zusammenhang kann hier nur eben angedeutet werden.

Für seine Ostererzählung wählt Johannes aus den Frauen, die der Kreuzigung Jesu beiwohnten (19,25), einzig Maria Magdalena aus[84]. Ein Hauptmotiv für seine Aufnahme von Elementen des dritten Evangeliums dürfte das der Kritik an den Jünger(innen), verbunden mit der Hervorhebung des Lieblingsjüngers sein. Für den Wettlauf der beiden Jünger (20,3-10), die die Schriftaussagen hinsichtlich der Auferstehung Jesu noch nicht verstanden hatten (20,9), konnten ihm als Anknüpfungspunkte die Perikope von den zwei unverständigen Jüngern bei Lukas allgemein dienen (Lk 24,13-35), speziell Lk 24,10f.22-24 (vgl. Joh 20,2), und besonders Lk 24,12. Hier fand er nicht nur das Stichwort "Laufen" vor, sondern auch den "Negativbefund" hinsichtlich des Petrus, der lediglich die Leinentücher im Grabe sah. Was Johannes aufgrund dieser "Hinweise" zur Darstellung bringt, wird nur im Zusammenhang mit der Lazarusgeschichte voll verständlich, auf die schon zur Erklärung von 20,6-8 (vgl. 11,44) zurückgegriffen werden muß[85].

---

[81] Näheres: Grundriß (s. Anm. 11) 453f.
[82] Vgl. Apg 1,3; 10,46f; 13,30f.
[83] Zum weiteren: Grundriß (s. Anm. 11) 454-456.
[84] Vgl. Joh 20,2-18 (trotz Lk 24,10!)
[85] Zur Literatur vgl. Grundriß (s. Anm. 11) 457 Anm. 44.

Die drei von Jesus geliebten Geschwister in Joh 11 (vgl. bes. 11,5) haben eine symbolische Funktion[86]. *Maria* ist eine von Jesus besonders geliebte Jüngerin[87]. Damit könnte sie in ein Konkurrenzverhältnis zu dem Lieblingsjünger treten[88]. Dem kommt Joh zunächst dadurch zuvor, daß er die hier genannte Maria mit der Schwester von *Marta* identifiziert (nach Lk 10,38-42). In der Vorlage wurde die "natürliche Rangfolge" - Marta vor Maria - wegen des Hinhörens der zu den Füßen (!) Jesu sitzenden Maria umgekehrt[89]. In Joh 11 klingt dieses Motiv nach[90]. Aber bereits hier scheint der Evangelist auf eine "Rückstufung" des Rangs der Maria hinzuarbeiten. Zunächst hält er sich an die von Lk vorgegebene Reihenfolge Maria-Marta (11,1). Dann aber wird Marta als erste unter den von Jesus geliebten Geschwistern aufgeführt (V. 5). Sie geht Jesus unaufgefordert entgegen (vgl. V. 20 mit 28). Bereitet der Evangelist erzählerisch den "Wettstreit" zwischen Petrus und dem Lieblingsjünger vor?

Entscheidend ist, wie Johannes auf dem Hintergrund der Lazarusgeschichte zum einen den Vorrang des Osterglaubens des Lieblingsjüngers vor dem Marias von Magdala, vor allem aber den eigentlichen Sinn dieses Glaubens herausarbeitet. "*Lazarus*" ruhte

---

[86] Diese Funktion ist unter der Annahme, daß Joh bei seiner Leserschaft ein Bekanntsein mit Lk und einer früheren (vor-markinischen?) Passionsgeschichte voraussetzt, allerdings genau zu bestimmen.

[87] Aus der Passionsgeschichte war Joh bekannt, daß eine Frau Jesus in Betanien, nahe bei Jerusalem (!), mit kostbarem Öl gesalbt hatte (vgl. 11,1f. 18; 12,1-3 mit Mk 14,3). Aus der von Lk vorgezogenen Salbungsgeschichte (Lk 7,36-50) war Joh bekannt, daß diese Frau das Öl nicht über Jesu *Haar* ausgegossen, sondern seine *Füße* damit gesalbt und diese mit *ihrem* Haar getrocknet hatte (vgl. 11,2; 12,3 mit Lk 7,38). Dadurch, daß Joh das (als erotisch verdächtige?) Motiv des Trocknens der *Tränen* auf Jesu Füßen unterdrückt, wirkt seine Erzählung allerdings gezwungen (jetzt duften die *Frauenhaare* nach dem kostbaren Öl!). Das *Weinen* der Frau aber ist ihm bei seiner spirituellen Exegese des Lk höchst wichtig (s. u.). Lk 7,40-48 konnte Joh die besondere Liebe Jesu zu dieser Frau entnehmen und aus Lk 8,2 erschließen, daß es sich um Maria Magdalena handelte, die Jesus von Galiläa her gefolgt war.

[88] Eine solche Gefahr hätte besonders dann nahegelegen, wenn bereits im gnostischen Umkreis von Joh die Geschichte von Jesus und "Maria Magdalena, der geliebten Sünderin" - ähnlich wie in der späteren Tradition - "erotisch ausgeschlachtet" worden wäre (vgl. Irenäus, Adv. Haer., I 3,3, zur gnostischen Interpretation der Heilung der blutflüssigen Frau - Mk 5,25-34 - mit den späteren Analysen bis hin zu E. Drewermann).

[89] Damit ergibt sich eine Parallele zu Lk 7,36-50. Dort mußte der einladende Pharisäer Simon schließlich hinter der stärker liebenden Sünderin, hier muß die einladende Marta hinter der besser hörenden Maria zurückstehen. Ein weiterer Grund, aus den beiden Frauen "eine Maria" werden zu lassen!

[90] Vgl. VV. 20.32.

(wie den Adressaten bekannt) in "Abrahams Schoß" (Lk 16,22[91]).
Doch man wird einem Zeichen von dort ebensowenig Glauben
schenken wie Mose und den Propheten (vgl. Lk 16,31 mit 24,27).
Marta glaubt zwar auf das Wort Jesu hin an die Auferstehung des
Lazarus - am jüngsten Tage (vgl. Joh 11,21-24). Maria aber, die
Jesus mit den gleichen Worten wie Marta anredet (vgl. V. 21 mit
32), *weint* nur. Jesus *ergrimmt* darauf im Geiste (V. 33 wie 38)[92].

In der Ostergeschichte kommt der Lieblingsjünger am Grabe -
zwar spät, im Hinblick auf die Schriften, aber doch als erster von
allen, die Jesus nachgefolgt waren - zum Osterglauben: *Jesus
braucht niemand mehr loszubinden. Das Schweißtuch liegt bereits
gefaltet da* (vgl. 20,6-9 mit 11,44). Maria hingegen weint ("noch
immer"): 20,11. Die vorwurfsvolle Frage Jesu: "Frau, was weinst
du? Wen suchst du? (20,15 - vgl. die Frage der zwei [!] Engel:
V. 13) entspricht der Lukas-Vorlage (Lk 24,5)[93]. Maria findet erst
spät zu der Anrede "Meister" (Joh 20,16; vgl. dagegen 11,28)[94].

Erkennt man den engen Zusammenhang zwischen Kap. 11 und
20, dann wird der deutlichen Korrektur der apokalyptischen Vorstellung von Auferstehung in Joh 11,24-26 ein umso größeres Gewicht beigemessen werden müssen. Der eigentliche "Ort" und die
eigentliche Basis für den Glauben an das durch den Tod nicht
angefochtene Leben Jesu und der an ihn Glaubenden ist die Begegnung mit ihm, im Fleische. Die "Stunde" des vollkommenen
Durchblicks auf das göttliche Leben in Jesus ist die seiner "Erhöhung" am Kreuz, wo die gegenseitige "Verherrlichung" von Vater
und Sohn an ihr Ziel kommt[95].

---

[91] Liegt auch hier eine "spirituelle relecture" (Lazarus - Lieblingsjünger) vor (vgl.
κόλπος in Joh 13,23; 1,18 mit 11,14.20, 6-8)?

[92] Eine psychologisierende Interpretation dieser Reaktion auf Jesu "Mitgefühl" hin
verfehlt völlig den Sinn.

[93] Man kann von hierher erwägen, ob die formal ganz ähnlich lautende Frage an die
Mutter Jesu (Joh 2,4) im Zusammenhang mit der unmittelbar an das "Weinwunder"
anschließenden, vorgezogenen Tempelreinigung (2,13-22) einen "spirituellen Kommentar" zu Lk 2,49 abgibt (auch hier das Motiv des Nicht-Verstehens!).

[94] Auf den Fortgang der Ostererzählung kann hier nicht näher eingegangen werden.
Die Jüngerkritik geht weiter (Joh 20,19 trotz V. 18). Sie kommt mit der Belehrung des
Thomas zum Abschluß - die Lazaruserweckung wurde durch ein Wort des Thomas
eingeleitet (11,16).

[95] Dabei müßte beachtet werden, daß der Ausdruck δόξα (und die dazugehörigen
Verbformen) bei Johannes zwei ganz verschiedene Quellen zusammenführt: zum einen
die hoheitlichen Aussagen vom Machtglanz Jahwes, zum anderen das vierte Gottes-
knechtslied. Jes 52,13f (LXX) findet sich geradezu eine Akkumulation der "johan-
neischen" Terminologie von "erhöhen" und "verherrlichen". Von hierher, Jes 52,13 -

4.4. Markus

Die "von der Sache her hinreichende" Grundlage für den Osterglauben kommt nach dem vierten Evangelisten beim Tode Jesu ans Ziel. In dieser "Stunde" tritt im Sohn das Wesen des Vaters voll in Erscheinung. (So könnte man wohl das gegenseitige δοξάζειν von Vater und Sohn als *einen* Akt umschreiben). Das geschichtliche "Wie" dieser Evidenz läßt sich der theologisch exakten, aber doch recht "abstrakten", von der konkreten Erfahrung abgehobenen Aussage des Johannes kaum entnehmen.

Darf man die Konkretisierung dieses geschichtlichen "Wie" (des am Kreuz zum Ziel gekommenen Durchblicks auf Gott "im Fleische" Jesu) bei Markus suchen? In diese Richtung geht die von mir vertretene Interpretation von Mk 15,34-39[96]: Angesichts des mit dem Gebetsschrei der Gottverlassenheit "aushauchenden" Gehenkten spricht der Hauptmann das im Horizont des ersten Evangelisten einzig angemessene "Osterbekenntnis".

Diese Interpretation wird umstritten bleiben - schon weil sie das "unbequemste" Verständnis von Ostern impliziert. Immerhin ist zu bedenken, daß hier nach den für "ganz Israel" (vgl. Röm 11,26) geltenden Voraussetzungen tatsächlich ein "Ein-für-allemal" zum Ausdruck kommt. Hier wird - zum erstenmal und unüberbietbar - wirklich der Name Jahwes geheiligt.

"Ich bin der 'Ich-bin(-da)'" (Ex 3,14). Diese Selbstmitteilung Gottes impliziert das Verbot, Jahwe auf ein bestimmtes Bild vom Wesen Gottes festzulegen, indem man ihn namentlich anruft. Sicher war damit kein Verbot erlassen, ihn überhaupt namentlich, d. h. im Horizont der je eigenen Gotteserfahrung, anzurufen. Das wäre eine unsinnige, weil schlechthin unerfüllbare Anforderung an gläubige Menschen. Aber jene Selbstvorstellung Jahwes enthielt das Gebot, bei allen namentlichen Anrufungen auf "Ich-bin-da" zu hören in der Bereitschaft, den Vorgriff auf das Wesen, den jeder Name unweigerlich bedeutet, von dem "Ich-bin-da" durchkreuzen zu lassen. Mit diesem Gebot der rechten *Gottes*ehrung (δοξάζειν) war zugleich Freiraum für alle *Menschen* gewährt, Gott auf ihre je

---

53,12, ist also auch die johanneische Theologie des "Lammes" und der Hingabe (παραδιδόναι) zu interpretieren. Die deutsche Übersetzung "verherrlichen" ist auf diesem Hintergrund äußerst irreführend (im alltäglichen Sprachgebrauch kommt der Ausdruck fast nur noch in der Verbindung mit Gewalt vor!).

[96] Zur exegetischen Begründung s. Grundriß (s. Anm. 11) 457-464, 507-514.

eigene Weise zu erfahren: Jeder Mensch soll als Bild Gottes zu Wort kommen können; keiner darf durch vorherrschende Mentalitäten aus der Sprache, dem "Haus des Seins" (Heidegger) verdrängt werden. Zumindest nicht im Blick auf die höchste Ebene des Sprechens, die religiöse Rede. Gott verbietet, die Weise, wie er ist, sprachlich definitiv zu regeln.

Hier unterlief nun bereits in Israel ein folgenschwerer Mißgriff. In der ängstlichen Sorge, durch das Aussprechen "seines" (warum nicht "ihres"?) Namens etwas verkehrt zu machen, *sagten* die Frommen "*Herr*", wo immer JHWH geschrieben stand. Damit wurde die Gottesvorstellung auf das Mentalitätsfeld "Herrschaft" - letztlich auf Gewaltbereitschaft - fixiert (und wurden so alle anderen in Israel bekannten Formen, fremde Herren zu entmachten[97], an den Rand gedrängt).

Dank einer intakten prophetischen Kritik wurden in Israel zwar Versuche, unter dem Dach der Metapher "Herr" innerweltliche Herrschaft mit religiöser Nachhilfe zu stabilisieren, immer wieder entlarvt. Die Kirche hat sich dieser Möglichkeit weitgehend beraubt. Die Übertragung des etablierten Gottesprädikats "Herr" auf den österlichen Jesus (unter Verschmelzung apokalyptischer und hellenistischer Herrschaftskategorien im Gefolge der Auferstehungsmetaphorik) verführte dazu, sich von dem im Himmel thronenden Christus Leitvorstellungen für vollendetes Menschsein vorgeben zu lassen. Und Jesus? Sein letzter Schrei gibt dem nackten "Ich-bin-da" die Ehre. Jesus sind nicht nur alle Prädikate für das So-sein Gottes (etwa: "Abba") zerschlagen worden, sondern auch die Vorstellungen von Gottes Anwesenheit, seinem "Da-sein" (das der Mensch allzuleicht auf ein ihm genehmes Da-sein reduziert, vgl. Hos 1,9). Jesus schreit betend nach Gott, der nur noch da-zu-sein scheint als einer, der seinen eigenen Sohn verlassen hat. Und darin erkennt der Vertreter römischer Gewalt den wahren Gottessohn.

5. Konsequenzen

Der hier kurz umrissene Blick auf das neutestamentliche Oster-

---

[97] Vgl. z. B. die Art und Weise, wie Jahwe der Botschaft des Hosea zufolge die Baale besiegt, bes. Hos 2,16-25 mit 1,9.

zeugnis ist vor allem von den beiden Grundfragen geleitet, die in den ersten Abschnitten dieses Beitrags offengeblieben waren. Das Ergebnis scheint - merkwürdig genug - zwar eine Lösung der vom traditionellen Dogma her ("Jesus: wahrer Mensch und wahrer Gott") bzw. der mit der Inkarnationslehre gegebenen Problematik (2.1) zu ermöglichen, nicht aber in der Theodizeefrage (1.3) weiterzuhelfen. In dem vollendeten Bildsein für Gott, das mit Jesu *Sündlosigkeit* zur Darstellung kommt, sieht auch P. Knauer das Dogma von Chalkedon hinreichend gewahrt[98]. Was aber ist hinsichtlich der Theodizeeproblematik damit gewonnen, daß wir auf Jesus als das "Lamm Gottes" bzw. den "Gottesknecht" schauen, ohne eine hinzukommende rettende Tat Gottes in Betracht zu ziehen? Entfällt damit nicht ebenso die - in der Allmacht Gottes beruhende - Grundlage für das Postulat: "Du sollst nicht sterben!" (1.2), wie der ausgeklammerte Retter als der bekannte Schlächter auf der Gegenseite des Menschen zurückbleibt (1.3)?

Die hier angezielte Antwort auf solche Fragen läuft auf den Versuch hinaus, im "Lamm Gottes" das Wesen Gottes selbst, ohne "jenseitige göttliche Ressourcen", ausgedrückt zu finden. Dazu muß nicht unbedingt auf das Prädikat "Allmacht" verzichtet werden. Den Begriff göttlicher Macht gilt es allerdings radikal allein aus dem zu gewinnen, was Jesus als das fleischgewordene Wort und Bild Gottes von Gott zu erkennen gibt. Dabei muß ich der naheliegenden Versuchung widerstehen, dieses Bild aus einem vorgegebenen Reservoir von Gottesprädikaten zu ergänzen, etwa unter Rückgriff auf eine Vorstellung von göttlicher Liebe, die sich dem menschlichen Tun und Leiden Jesu legitimierend, ins Recht setzend, sich mit diesem identifizierend (oder wie immer man Auferweckung heute zu umschreiben pflegt) aus einem unanfechtbar sicheren Raum kommend zuwendet. Dazu abschließend zwei Reflexionsvorgänge.

Erster Schritt: In der Osterpräfation heißt es: "Durch sein Sterben hat er unseren Tod vernichtet ...". Dieser Satz ist - im Unterschied zu dem (explikativen?) Nachsatz: "und durch seine Auferstehung das Leben wiederhergestellt" - nicht analogielos im Hinblick auf menschliche Erfahrung überhaupt und verfällt auch nicht notwendig der Religionskritik. Es gibt Erfahrungen, die die Sorge um die eigene Existenz zunichte machen, nämlich in der Inan-

---

[98] Vgl. *H. Verweyen*, Grundriß (s. Anm. 11) 468ff, bes. Anm. 82.

spruchnahme durch einen "heiligen Willen", durch ein "unbedingtes Sollen" - oder wie immer man dies im Horizont biblischer Prophetie, Platons oder Kants thematisieren mag. Wer sich von einem solchen Ruf rückhaltlos beanspruchen läßt, für den hat der Tod "keinen Stachel" mehr (vgl. 1 Kor 15,55). Im Anschluß an E. Levinas: Der Tod und der andere Mensch nehmen mir meine Zeit. Wenn ich mich aber aus der "Philosophie des Habens" herausreißen lasse, in der *ich mir* Zeit für dieses und jenes, schließlich auch für andere Menschen nehme; wenn mir aufgeht, daß die Zeit, die *mir* der *andere* nimmt, mein eigentliches Dasein erfüllt, dann fällt meine Bedrohtheit durch den Tod als den letzten Herrn über die Zeit dahin. Wer sich auf diese Weise ohne Vorbehalt seine Zeit nehmen läßt, entreißt damit auch andere der Macht des Todes, die sich als Sorge und Angst um die eigene Gegenwart und Zukunft äußert.

In Israel wie bei Platon wird ein solcher im göttlichen Willen ruhender Mensch ein "Gerechter" genannt. Das Grundproblem besteht nun darin, daß der Gerechte selbst im allgemeinen keine Reflexionen über diese neue Existenzweise anstellt. Die sprachlichen Äußerungen darüber stammen also zumeist von Menschen, die noch nicht ganz der "Philosophie des Habens" entrissen sind. Diese reden dann z. B. im Kontext apokalyptischer Erwartungen von seiner "Auferweckung" vom Tode, weil sie die Erfahrung noch nicht durchvollzogen haben, daß dem Tod bereits in der Selbsthingabe des Gerechten seine Macht entrissen wurde, das neue Leben daher nicht gleichsam nachgeliefert werden muß.

Zweiter Schritt: Was unterscheidet nun *Jesus* "ein-für-allemal" von den übrigen Gerechten? Schon generell trifft zu, daß, wer die Philosophie des Habens grundlegend in Frage stellt, von der Bildfläche verschwinden muß. Im Anschluß an die Theorie des "Sündenbocks" bei R. Girard läßt sich die Hinrichtung des Gerechten als ein Akt von Stellvertretung verstehen. Der rückhaltlos Gerechte nun, der sündlose Mensch lenkt alle Gewalt auf sich, die die Sorge um das eigene Ich nur aufzubieten vermag. Diese Gewalt tobt sich hemmungslos an ihm aus. Sie tobt sich aber auch "ein-für-allemal" an ihm aus in dem Sinne, daß seine Antwort völliger Gewaltlosigkeit allen Anschein der Macht, den die Habenden vorzeigen, gleichsam "von unten her" entmächtigt.

Bedarf diese Entmachtung der Gewalt der Sünde einer Bestätigung durch den allmächtigen Gott, also doch wieder von seiten des Habenden, damit Jesus als völlig eins mit dem Vater erkannt werden kann? Dies legt die eingefahrene Gottesvorstellung der Apokalyptik nahe, die ihren Gott aber auch nur schwer aus der Philosophie des Habens (mit all ihren Requisiten wie die sühnende Besänftigung väterlichen Zornes oder die ewige Verdammnis) befreien kann. Dagegen spricht die Art und Weise, wie Markus und Johannes das Auferstehungskerygma gleichsam "gegen den apokalyptischen Strich" lesen: Der Tod Jesu als der Augenblick, wo selbst dem Henker die Augen über den wahren Sohn Gottes aufgehen. Die Stunde, da alles vollbracht ist und sich das wahre Gesicht Gottes zeigt (δοξάζειν!).

Vermag der sich hier zeigende Gott aber noch genug zu verheißen, damit die Achtung vor dem unbedingten Sittengesetz (Kant) bzw. der Mut zu dem Wort: "Du sollst sein" (Marcel) nicht schwindet? Bei dieser Gegenfrage wird man hinwieder mitbedenken müssen, wie leicht ein Zuviel an Verheißung uns von dem hier und jetzt zu Wirkenden weglockt. Der Gedanke an die Rettung durch Gott darf nicht das trotzige Motto religiös verdächtig machen, das uns vor der Weltflucht bewahrt: "Ein Mord weniger, hier und jetzt, ist wichtiger als zwanzig Auferweckungen danach!" Liegt ein Grund dafür, daß man im Christentum immer wieder Hinrichtungen aus höheren Motiven in Kauf genommen hat, vielleicht in der Vorstellung vom schon fertigen Messias[99]?

Die Erschütterung über das anhaltende Gemetzel inmitten von Gemeinschaften, die sich dem erstmals in Israel zur Sprache gekommenen Gott verpflichtet wissen, darf nicht verblassen. Sie macht es notwendig, sich auf das Tasten nach einem Gott einzulassen, der in unserer "Geschichte des Heils" zumeist nur durch die Kategorien von herrschaftlicher Gewalt gezähmt zu Wort gelassen wurde, die unsere Angst diktiert hat. Sein leiser Sieg über den Tod ist nur in jenen seltenen Augenblicken vernehmbar, in denen es Menschen zustößt, sich völlig unerwartet und ohne jeden vorgegebenen oder versicherten Halt anderen preisgeben zu können. Wenn hier, aus der Tiefe durchlittenen Leides, auch ein nur dem aufmerksamen Auge wahrnehmbarer Grund unserer Hoffnung aufleuchtet, so weckt er doch feste Zuversicht, daß die unüberhörbare und lähmende Botschaft des alle verschlingenden Chaos nicht das letzte Wort ist.

---

[99] Beispiele für die Vorstellung vom noch *wartenden* Heilsmittler: Grundriß (s. Anm. 11) 409-411.